VALDELENE NUNES DE ANDRADE PEREIRA

A busca da felicidade pela fé

EDITORA
SANTUÁRIO

DIREÇÃO EDITORIAL:
Pe. Fábio Evaristo R. Silva, C.Ss.R.

CONSELHO EDITORIAL:
Ferdinando Mancilio, C.Ss.R.
Marlos Aurélio, C.Ss.R.
Mauro Vilela, C.Ss.R.
Ronaldo S. de Pádua, C.Ss.R.
Victor Hugo Lapenta, C.Ss.R.

COPIDESQUE:
Bruna Vieira da Silva
Luana Galvão

REVISÃO:
Sofia Machado

COORDENAÇÃO EDITORIAL:
Ana Lúcia de Castro Leite

Dados Internacionais de Catalogação na Publicação (CIP) de acordo com ISBD

P436b	Pereira, Valdelene Nunes de Andrade
	A busca da felicidade pela fé / Valdelene Nunes de Andrade Pereira. - Aparecida, SP : Editora Santuário, 2019. 160 p. ; 14cm x 21cm. Inclui bibliografia e índice. ISBN: 978-85-369-0566-2 1. Religião. 2. Cristianismo. 3. Fé. I. Título.
2018-1589	CDD 248.4 CDU 234.2

Elaborado por Vagner Rodolfo da Silva - CRB-8/9410

Índice para catálogo sistemático:
1. Cristianismo : Fé 248.4
2. Cristianismo : Fé 234.2

1ª impressão

Todos os direitos reservados à **EDITORA SANTUÁRIO** — 2019

Rua Padre Claro Monteiro, 342 — 12570-000 — Aparecida-SP
Tel.: 12 3104-2000 — Televendas: 0800 16 00 04
www.editorasantuario.com.br
vendas@editorasantuario.com.br

Dedicatória

Dedico esta obra inteiramente a minha saudosa mãezinha, Leni (*In memoriam*), que me deixou, como herança, o temor de Deus e a esperança na vida eterna.

A mãe é uma figura de extrema importância em uma família. É a primeira catequista dos filhos. Minha mãe me ensinou as primeiras orações, muitas jaculatórias, que rezo até hoje, ao me levantar, ao me deitar, ao agradecer a Deus; no trânsito, em situações de estresse. Enfim, para cada momento na vida, ela possuía uma oração curtinha, uma novena.

Tomei gosto pela Palavra de Deus, lendo a Bíblia em quadrinhos que ela me ensinou a ler. Conheço a história de vida de muitos santos, como Santa Teresinha, Santa Rita de Cássia, Santa Maria Goretti, São Francisco de Assis, Santo Antônio, graças aos livros, também em quadrinhos, que eu lia quando criança.

Aprendi a amar a Igreja Católica, indo com ela para as missas, vendo-a cantar na igreja, ajudar o padre no altar durante a Ceia Eucarística e ouvindo-a proclamar a Palavra nas celebrações. Ela sempre fazia amizade com os padres de nossa cidadezinha. Leni era conhecida de todos na igreja, pelo seu exemplo de fé e de vida impecável. Como fiel cumpridora dos ensinamentos do Papa, sequer lia livros que a Igreja dizia ser impróprios. Aquilo que o Pontífice falava em seus discursos, pelo que me lembro: Paulo VI, João Paulo II, Bento XVI e, finalmente, o papa Francisco, era para ser seguido à risca.

Com ela aprendi a receber os sacerdotes em casa, como verdadeiros mensageiros de Cristo, e a não propagar notícias ruins sobre eles, pois não se deve falar mal da igreja para não estimular a divisão. Se não puder falar bem deles, melhor permanecer em silêncio. Não se pode esquecer que os padres serão sempre representantes de Cristo, perpetuadores do Evangelho, mesmo que sejam seres humanos, pecadores. Desde cedo, aprendi a gostar do padre Zezinho e do padre Jonas, apreciando seus livros e suas canções. Dela herdei o gosto pela boa leitura; cresci vendo-a devorar livros com prazer, principalmente aqueles com teor religioso ou de psicologia.

Com ela aprendi a recorrer sempre a Deus nos momentos difíceis e a não blasfemar contra Ele, mesmo quando se é traído, quando se perde a saúde, quando a morte se aproxima. Vi seu estado agravar-se a cada dia, mas não vi sua fé diminuir. Em seus últimos dias de vida, quando ia visitá-la no hospital, senti que minha fé estava abalada; fraquejei. Não entendia por que sua cura não acontecia, já que sempre tivera fé, e estávamos todos à espera de um milagre. Já nem conseguia rezar direito; senti minha relação com Deus esfriar. Crescia dentro de mim a revolta, a descrença, o desespero, a dor extrema de estar perdendo aquela que sempre fora minha raiz verdadeira neste mundo.

Mas então, de onde já não havia mais força, brotou um pensamento: "Se eu perder a fé em Deus, quem serei eu? Já não serei digna de ser chamada sua filha"; afinal, foi isto que ela me ensinou a vida inteira: ter fé em Deus, pois Ele é o que realmente importa. Só Ele não passa, pois tudo o mais passará, transformar-se-á em pó. Decidi--me, isso posto, pela fé. Desses momentos de dor, dúvida, mas, sobretudo, de recomeço, nasceu esta obra, que espero possa contribuir para o renascimento de outras pessoas que estejam passando por momento de dor, por morte, doença, separação, ou mesmo, um simples sentimento de fracasso na vida profissional. Quem conserva a fé em Cristo mantém sempre acesa a chama da esperança. Essa chama pode enfraquecer, mas, quando a Palavra, a Eucaristia, o testemunho de outros cristãos sopra sobre ela, pode-se contemplar o ressurgimento do fogo ardendo e crepitando entre as brasas; e tudo se renova outra vez.

Agradecimentos

Agradeço, primeiramente, a Deus-Pai a vida, o dom da fé a mim concedido e sua infinita misericórdia para com a humanidade; agradeço-lhe estar sempre de braços abertos a nos receber de volta, quando abdicamos de sua presença e saímos de sua casa, como filhos pródigos.

Agradeço a meus filhos, esposo e minha tia (Irani), que me ouviram nos momentos mais difíceis, que enfrentei durante a doença e após a perda de minha mãe. Eles me serviram de suporte, para que eu não desmoronasse de vez, emprestaram-me o colo, para chorar, e o ouvido, para que eu expressasse, com palavras, a dor que eu carregava no peito.

A meus irmãos das Equipes de Nossa Senhora agradeço a solidariedade prestada a minha família, ao visitar-nos, ao levar flores, ao preparar comidinhas que agradassem ao paladar de minha mãe, nos dias em que ela não queria se alimentar, ao levar a comunhão para ela em casa e no hospital e, finalmente, ao velar seu corpo, celebrando, comigo, sua passagem para a vida eterna.

Aos vários amigos ministros da Eucaristia, que abasteciam o espírito de minha mãe e o meu com a leitura da Palavra e o conforto do Corpo de Cristo, onde quer que estivéssemos, durante vários dias da semana, e não somente aos domingos.

Aos padres (Deyvson, Marcelo e frei Aquiles) pelo sacramento da unção dos enfermos a ela ministrado, preparando-a para sua entrega final nos braços do Pai.

Aos vários médicos que a assistiram durante sua doença, representados aqui pela pessoa do doutor Daniel Rolo, geriatra, que participou, junto comigo, de seus momentos finais, auxiliando toda a família nesse processo tão difícil que é a morte. Ele sempre esteve disponível para nos ouvir, esclareceu-nos dúvidas e selecionou para ela os cuidados que julgava serem os menos invasivos e dolorosos.

A minha terapeuta, Glória Carvalho, agradeço o apoio durante meu sofrido processo de luto e tristeza; e pelas leituras que me indicou e que muito contribuíram para minha recuperação e confecção desta obra, que eu espero venha servir de auxílio a outros que sofrem dessa tão feroz devoradora de almas: a depressão.

Agradeço, ainda, a indispensável colaboração dos padres Marcelo Monte e Paulo Cordeiro, meus primeiros leitores e colaboradores desta obra, e as preciosas sugestões, que muito enriqueceram o texto de *A busca da felicidade pela da fé*.

E, finalmente, a Jesus Cristo, que me estendeu a mão em meio ao mar de tristeza em que me afogava, dizendo em meu íntimo: "Coragem, vem para o meio! Eu venci o mundo".

Sumário

Prefácio 11

Apresentação 15

Introdução 19

1. A Palavra como fonte de felicidade 25
2. Silêncio que fecunda..41
3. Como a fé pode ajudar no
   tratamento da depressão....................................57
4. Tempo: obstáculo ou aliado à felicidade? 97
5. Busque seus sonhos e seja feliz 111
6. A fé como instrumento na luta contra o mal 125

Reflexões finais 149

Referências bibliográficas.....................................153

Prefácio

O livro *A busca da felicidade pela fé* tem a feliz missão de propor meditações, que oportunizam ao leitor a arte de lidar com a vida e seus necessários desafios, e o faz pelo maravilhoso caminho da fé. O tema da felicidade sempre estará na pauta humana, todos a almejamos, perseguimo--la, porque o movimento da vida, em suas mais variadas etapas, sempre nos porá diante da exigência de seu sentido.

O livro de nossa autora apresenta o filão da virtude, como roupa que veste a busca da felicidade do mundo dos homens. Virtude já não mais tão querida e acolhida nas sociedades contemporâneas. O homem moderno, inevitavelmente, sofre e quase sempre não procura, de forma decidida e consciente, tirar o sentido de suas oscilações existenciais e dos males que se impõem a sua frente. Na parte inicial do livro, podemos encontrar uma meditação eloquente sobre o poder da palavra, que pode ser fonte de vida, mas também de morte. Ela detém-se demoradamente no entendimento da Palavra para os Evangelhos, coloca--a na perspectiva do perdão. A Palavra de Deus é sempre um caminho a ser percorrido por aqueles que buscam a verdadeira felicidade, na superação dos obstáculos da vida.

Outra abordagem bastante interessante do livro traz à tona o tema do silêncio. A pessoa humana parece ser incapaz de dobrar-se ao silêncio, pois vivemos em um mundo marcado pela ditadura do ruído; desaprendemos a ocupar-se do silêncio exterior e interior. O caminho da felicidade, pelo exercício da fé, exigirá descartar toda tagarelice; grande mal, que nos impede de rever, até mesmo, nossos próprios erros. O caminho proposto no tema do livro deve ser precedido do autoconhecimento, pois sem este não nos será possível a qualidade de vida, que tanto nossos passos existenciais almejam.

No avançar do livro, a autora vai se detendo mais na meditação sobre a administração do tempo, como via que ajuda na organização existencial daqueles que caminham sob a égide da fé. O tempo deve ser visto como um grande dom de Deus, um espaço que contemplamos o agir de Deus sobre os ritmos humanos. O homem adoece e estressa-se, deprime-se, mas a ele é concedida a graça de usufruir de meios que combatam qualquer malefício: meditação, atividade física, práticas religiosas e tantos outros.

A temática do *tempo* consolida, neste livro, uma múltipla reflexão sobre suas variantes ao longo dos dias humanos. Nossa autora se propõe, inicialmente, a perfilar o tempo a partir da concepção mitológica. Veremos que o tempo é sempre uma fonte inevitável das ocupações dos seres humanos; podemos torná-lo um nascedouro de vida ou de morte. Para muitos, o tempo relaciona-se com o desenvolvimento de estresses; os minutos não cabem mais na explosão de nossas muitas atividades. E, com isso, vamos construindo nossa existência a partir da má administração do tempo. E o que fazer para viver bem e satisfatoriamente dentro do tempo? A leitura atenta do livro propõe a instituição do rito como atividade que gera a qualidade no uso do tempo humano. A rotina nunca foi uma inimiga a ser combatida, pois ela é o lugar que nos devolve à serenidade e ao equilíbrio mental.

O mal não tem origem em Deus. Ele é sempre uma escolha humana, e seu mistério nasceu quando a humanidade se voltou contra Deus e sua bondade. O mal nos acompanhará e, a todo custo, tentará romper nossa aliança com Deus. Contudo, em Cristo, o mal não tem a palavra final. Seremos um dia libertos para sempre das amarras da maldade.

O dom da fé cresce em nós quando acolhemos a presença de Deus no concreto de nossa vida. E o exercício desse dom nos ajuda a efetivar o combate contra o mal, muitas vezes, manifestado nas realidades que nos cercam: doenças, lutos, inimizades. Contudo, o olhar cristão sobre as contingências humanas não se aloja sob a custódia da desesperança ou da postura de tudo se lastimar.

O ato de confiar a vida nas seguras mãos de Deus e de buscar nossos sonhos revela que a felicidade não é uma realidade etérea, longe do chão que pisamos. Se temos a coragem de afiançar nossa existência ao Pai Bondoso, que nos guarda em qualquer circunstância e que nos acompanha sempre, constataremos que viver é uma aventura sadia e que vale a pena nos ocuparmos dela, não como expectadores, mas como agentes conscientes de que nascemos para a felicidade, para o céu de Deus!

Pe. Marcelo Monte de Sousa
Arquidiocese da Paraíba

Apresentação

A sociedade atual nos coloca uma sobrecarga, impondo-nos como medida para "viver bem" suas descobertas no campo das novas tecnologias, da saúde, com a promessa do rejuvenescimento por meio dos cosméticos e produtos de beleza.

Em nome do "ter", que passa a ser colocado no lugar do ser, vivemos hoje uma busca desenfreada e insaciável da qualidade de vida, saúde e educação. Tudo em nome da felicidade. Uma felicidade idealizada, que não chega a ser concretizada, pois já não há tempo para se viver e perceber o sabor do presente. A razão disso pode estar no fato de que o ser humano não está em plena sintonia consigo mesmo, com seu próximo e com Deus.

A presente obra cita autores do campo da psicologia e da espiritualidade, como o monge alemão Anselm Grün, por quem tenho uma profunda admiração, os quais abordam um tema muito em voga no meio científico e religioso: a depressão. Essa psicopatologia vem afetando todas as faixas etárias, independentemente de condição social, econômica e intelectual, com tendência a aumentar numericamente em todo o mundo. Estima-se que cerca de 20% das pessoas apresentem um quadro depressivo ao menos uma vez na vida. Dentre as tantas causas apontadas para essa doença está o esgotamento físico e mental, provocado pela sobrecarga de trabalho. Tendo de corresponder às exigências desta sociedade consumista e não atingindo o ideal almejado, o sujeito vê-se em uma crise existencial permeada pela impotência.

Por meio de suas pesquisas literárias, a Dra. Valdelene Andrade nos oferece uma temática tão necessária e ainda pouco refletida: *a busca da felicidade pela fé*. Negligenciando este elemento tão intrínseco, que é componente principal de sua espiritualidade, o ser humano abre as portas para a enfermidade.

Ao receber seus pacientes, em seu consultório, Jung relata: "Entre todos os meus pacientes com mais de trinta e cinco anos não havia nenhum cujo problema não fosse da ordem de religação religiosa. A raiz da enfermidade de todos está na perda do que a religião pode dar a seus crentes, em todos os tempos; e ninguém está realmente curado enquanto não tiver atingido, de novo, seu enfoque religioso".

No Capítulo 1 do livro do Gênesis, ao criar todos os recursos para a sobrevivência humana, Deus, por último, cria o próprio homem e, em seguida, descansa. O terceiro mandamento de Deus é para se guardar o dia do Senhor, que deve ser de Comunhão com Deus e com a Família, na qual fomos integrados pelo Batismo. Quando encontro paroquianos e amigos e lhes expresso a falta que tenho sentido deles na comunidade, muitos respondem, automaticamente, que estiveram ausentes por falta de tempo.

O tempo é muito precioso; e quando menos se espera o momento passou: perdemos a oportunidade de aproveitá-lo na Comunhão com a qual o Pai nos presenteou.

Pe. Paulo Cordeiro Fontes
Arquidiocese da Paraíba
Paróquia São Francisco de Assis – João Pessoa
Bacharel em Psicologia – UNIPÊ
Mestrando em Gerontologia CCS/UFPB

Introdução

O que seria felicidade para você, caro(a) leitor(a)? Wiking (2018) estuda o comportamento das pessoas em vários países do mundo e diz, com propriedade, que as pessoas felizes, não importando a nacionalidade, são aquelas que valorizam as pequenas coisas, como, por exemplo, tomar uma xícara de café em uma varanda com os amigos, apreciando o dia ensolarado. Também podem ser crianças em uma escola, em um dia de inverno, em que, não podendo sair para o pátio, distraem-se ouvindo histórias da professora. *Lykke* em dinamarquês, *glück* em alemão, *bonheur* em francês, não importa o idioma que se fale, vai dizer esse autor que os sonhos dos seres humanos não mudam: todos querem a tão almejada *felicidade*.

Para mim, felicidade é o que todos buscam em sua vida terrena; às vezes de uma maneira egoísta, procurando satisfazer seus próprios extintos e caprichos, sem levar em conta as pessoas a seu redor. Outras procuram o bem comum, sendo solidárias com seus semelhantes em momentos de dificuldade, sem querer tirar proveito próprio das situações em seu dia a dia. O primeiro tipo de felicidade é fugaz, incapaz de preencher o indivíduo em sua plenitude. O segundo comunga com as leis de Deus, tendo efeito duradouro, enchendo de verdadeira alegria aquele que pratica o bem.

É sempre bom lembrar que, de acordo com o pensamento daqueles que creem na existência de Deus ou de uma força superior regendo nossa vida, somos uma centelha do Criador. Dele viemos e para Ele almejamos um dia retornar. Para os que não creem, mas tem suas ações pautadas na ética e na justiça, deve-se praticar o bem, porque isso seria a melhor maneira de viver em sociedade ou porque, talvez, acreditem na lei do retorno, em que o mal ou o bem que se pratica com os outros acaba retornando para o sujeito da ação.

O filósofo Sêneca (4 a.C. – 65 d.C.) já dizia em seu tempo que a verdadeira felicidade, ao contrário do que muitos pensam, nada tem a ver com a abundância de bens; está pautada na virtude, na postura inabalável diante do bem e do mal, em uma tentativa de imitar a Deus. Era admirável sua postura ética, principalmente por se tratar de um pagão que se comportava e pensava como um verdadeiro cristão, em muitos aspectos. Santo Agostinho (2014) dizia que é feliz aquele que busca a Deus, procurando viver de acordo com sua vontade e conserva-se longe do pecado.

A felicidade pode ser encontrada nas coisas mais simples do cotidiano, como na beleza de uma noite de lua cheia, na sensação refrescante de uma brisa em um dia quente, na contemplação da imensidão do oceano, no degustar um alimento bem preparado, em um dia de domingo com a família ou em uma animada reunião com os amigos. A felicidade é viver cada minuto da vida como se fosse o mais precioso, por ter a consciência de que não se repetirá nunca mais. Como dizia Santo Agostinho (1981), a felicidade brota de Deus, que é nossa luz; é a alegria que provém da verdade.

Fé a despeito de crença religiosa pode ser definida como confiança. Ela pode também fazer parte da vida dos ateus, que acreditam no universo e dão sentido à sua vida; a ausência total de fé não é ateísmo, e sim niilismo. A fé pode se manifestar mediante uma crença religiosa, com seus símbolos e rituais; por meio do censo de comunidade de missionários, a exemplo do que fizeram Buda e Jesus; e, por fim, mediante uma emoção positiva, o anseio pelo sagrado e a percepção pessoal de iluminação interior, a exemplo da experiência de São Paulo na estrada de Damasco (VAILLANT, 2010).

Deus está em toda parte, sem nunca impor sua presença, deixando-se perceber apenas por vestígios de seu amor: por meio de um perfume marcante, porém fugaz; de uma música delicada que não sabemos de onde vem, mas imaginamos quem a toca; de um buquê de flores deixado em um canto por alguém que sabemos que nos ama. Deus é um esposo apaixonado que vai espalhando demonstrações de seu carinho e zelo por nós em toda parte (SARAH; DIAT, 2017).

Um dos objetivos desta obra é demonstrar a importância da fé, na medida em que se busca a felicidade. Ela seria uma ferramenta eficaz para anular as forças maléficas do desânimo e da desesperança, que assolam grande parte da sociedade atual, sob a famosa denominação de depressão.

Neste mundo conturbado em que vivemos, estamos sempre rodeados de barulho. Não temos o costume de ficar em silêncio, a sós conosco, refletindo, orando, meditando. Preferimos ouvir o rádio do carro, a televisão; ou então nos isolamos no computador, no celular, interagindo cada vez mais no mundo virtual.

Mas é de suma importância que se tire um momento durante o dia para desacelerar a atividade do corpo e da mente; do contrário ficaremos progressivamente mais estressados, esgotados. É necessário silenciar para conhecer-se melhor e para ouvir a voz de Deus em nossa consciência. Tolle (2006) vai mais além, quando afirma que, neste mundo, nada se parece tanto com Deus quanto o silêncio.

Este livro chama atenção para o poder da palavra e do silêncio sobre a vida do ser humano, contribuindo para sua saúde ou para o não surgimento de doenças. Fala ainda sobre a existência do mal no mundo, trazendo um incentivo para que perseveremos na fé em Deus e na confiança de que venceremos todos os obstáculos que, porventura, surgirem no decorrer da vida. Também faz um alerta sobre a brevidade da vida e para a necessidade de procurar seguir os passos que o Criador traçou para nós neste mundo, de realizar em nossa vida tudo o que Deus sonhou para nós. Esta obra é uma pequena semente, que espero que venha a dar frutos na vida de muitos leitores, como fala o padre Zezinho em seu *Mini Sermão*, em forma de canção:

> Tenho certeza de que a semente
> Que displicente deixar cair
> Vai encontrar solo pra morrer
> Pra depois nascer e depois florir.
> E quando enfim se tornar em fruto
> Que eu hei de dar a quem não o tem
> Só vou pedir a semente dele
> Para eu plantar outra vez, amém.

I

A Palavra como fonte de felicidade

*"E o Verbo se fez carne e habitou entre nós,
e vimos sua glória, a glória que o Filho único recebe
de seu Pai, cheio de graça e de verdade."*

(Jo 1,14)

Introdução

A Palavra de Deus manifesta-se no silêncio da criação. A beleza que nos salta aos olhos, por meio das estrelas, do sol e da lua, diz tudo sobre nossa existência terrena, mesmo que não seja emitido nenhum som. As montanhas, os rios e os mares, os animais louvam a Deus. Mas nossos ouvidos não captam sua voz, a não ser quando somos crianças. Essa mensagem vai sendo esquecida, à medida que se cresce, tornando-se incomunicável no mundo adulto e racional, a não ser nos momentos de profunda oração, em que nos deixamos tocar pelo Altíssimo (SA-RAH; DIAT, 2017).

> De fato, quando crianças, temos uma percepção sensorial mais aguçada e sabemos coisas que não nos recordamos que tenham sido ditas; simplesmente sabemos. Foi assim que eu comecei a me dar conta de que me agradava muito as coisas de Deus, mesmo não entendendo o porquê.

Mediante a palavra o ser humano se estabelece neste mundo, cria vínculos, diminui a solidão (GRÜN, 2014a). A palavra é um meio eficaz de comunicação. Pode ser escrita, falada, gesticulada, sentida com a ponta dos dedos quando escrita em braile. Há quem diga que a palavra é também um importante meio de dominação entre os homens. Ela pode ainda ser libertadora, como a dos Evangelhos.

O cristianismo é a religião da Palavra de Deus. Por meio dela, Deus fala à humanidade, tendo em vista que a Bíblia foi escrita por mãos humanas sob inspiração divina. Deus é o verdadeiro autor das Escrituras Sagradas, pois se serviu de autores humanos para escrever o que Ele queria transmitir à humanidade, de modo a ser entendido. Mas para que a Palavra se mantenha viva, é necessário que o Espírito Santo abra as mentes humanas à compreensão da verdade que no Livro Sagrado está escrito. O cerne das Escrituras é o Cristo. Após sua vinda e, principalmente, por meio de sua Paixão, tudo ficou claro, tendo em vista que, finalmente, se concretizou aquilo que os profetas vinham anunciando (Catecismo da Igreja Católica).

O numinoso se manifesta entre os mortais de várias maneiras, inclusive pela propagação da Palavra. Mas esse meio de expressão não é suficiente sem que seja desperto o sentimento capaz de tocar a alma. O gestual, o tom de voz, a fisionomia, bem como o recolhimento em oração da comunidade têm muito mais valor do que simples palavras. O próprio sermão se for lido, mas não escutado, nada transmite, assemelhando-se às palavras escritas em um pergaminho que empalidecem com o passar do tempo (OTTO, 2005).

"A palavra não é apenas um som; é uma pessoa e uma presença. Deus é a palavra eterna, o *logos*" (SARAH; DIAT, 2017. p. 31). Este capítulo fala da importância da palavra para a humanidade, com enfoque principal na Palavra de Deus como fonte de vida, de libertação. Como diz o Evangelho:

> No princípio era o Verbo, e o Verbo estava junto de Deus e o Verbo era Deus. Ele estava no princípio junto de Deus. Tudo foi feito por Ele, e sem Ele nada foi feito. Nele havia a vida, e a vida era a luz dos homens (Jo 1,1-4). E o Verbo se fez carne e habitou entre nós, e vimos sua glória, a glória que o Filho único recebe de seu Pai, cheio de graça e de verdade (Jo 1,14).

Para Deus, vai dizer Santo Agostinho (1981), não há diferença entre o dizer e o criar. No entanto, nem tudo que Ele faz por meio da Palavra é realizado simultaneamente e desde toda a eternidade. Mas assim o é com o Verbo, que coexiste e está em Deus eternamente. Diz ainda esse autor: "O vosso Verbo é esta mesma Razão e Princípio de todas as coisas, o qual também nos fala interiormente" (Confissões, livro XI, p. 299).

Mas a palavra também pode ser extremamente nociva ao ser humano quando é usada para semear a discórdia, a calúnia e a difamação, podendo, nesses casos, ser fonte de morte. A melhor resposta aos agressores é o silêncio, mantendo-se firme ao amor a Deus e a sua igreja (SARAH; DIAT, 2017).

A Palavra como caminho para a cura

Deus sabe exatamente do que precisamos, mas Ele quer que formulemos nosso desejo por meio da oração, como no exemplo a seguir. "Indagou-lhe Jesus: 'Que queres que Eu te faça?' Rogou-lhe o cego: 'Raboni, que eu volte a enxergar.' E Jesus lhe ordenou: 'Vai em frente, a tua fé te salvou'" (Mc 10,51-52).

Os Evangelhos ilustram as curas feitas por Jesus de quatro formas diferentes, pois cada evangelista tem uma forma peculiar de ver os acontecimentos. Mas não se contradizem, apesar das diferenças; na verdade se completam.

Grün (2014b) descreve com maestria a visão de cada evangelista:

1. Para São Marcos, a doença era vista como uma possessão do corpo por demônios; e a cura se dava pela

expulsão deles sob o comando de Jesus, ou seja, por sua Palavra. De acordo com a psicologia moderna, tais demônios seriam o resultado de pensamentos neuróticos, de ideias fixas que impediriam o ser humano de ver os fatos com clareza.

2. Para São Mateus, existia sempre uma ligação entre doença e culpa, de modo semelhante à interpretação causal-redutiva de Freud. Para o evangelista a cura estaria condicionada ao perdão.
3. Para São Lucas, a doença seria uma deformação do ser humano, e a cura seria o restabelecimento de sua forma original.
4. Para São João, a doença ocorreria quando o homem se afastasse de Deus; e a cura estaria relacionada com o restabelecimento desse vínculo.

Todo ser humano possui uma centelha divina dentro de si, que o coloca em contato com uma fonte própria de cura. Jesus, por meio de sua Palavra, restabelecia essa conexão, que fora interrompida, causando a doença.

Uma palavra que possui grande potencial libertador é o pedido de perdão

Nutrir sentimentos de raiva é extremamente prejudicial à saúde do ser humano, pois prende o ofendido ao ofensor. Há pessoas que ficam, durante anos, remoendo rancores, direcionados aos outros e, até mesmo, a Deus.

Culpam os demais pelo mal que lhes acontece ou por aquilo que julgam lhes terem feito. Como consequência, poderão desenvolver dores de cabeça crônicas, insônia, dores no estômago, pressão alta e outros sintomas físicos. Quando se perdoa ao outro, tira-se um peso das costas, sente-se leveza, propiciando a cura de doenças.

Em meu livro "Medicina e Espiritualidade", eu trago um relato de uma mulher jovem que desenvolvera hipertensão após dificuldades em seu casamento. No decorrer de meu trabalho, junto aos pacientes de meu estudo, pude constatar que ela se destacava por apresentar sempre a pressão arterial bem controlada. Em uma de nossas reuniões, ela relatou que sua pressão sanguínea começara a normalizar somente quando ela resolvera perdoar ao marido e voltara a viver em paz com ele.

A Bíblia Sagrada traz vários exemplos vivos de quão importante é o perdão, relacionando-o, por vezes, ao restabelecimento da saúde do ser humano. Em vários momentos, Jesus, ao curar os doentes, disse-lhes que os pecados estavam perdoados:

> Ora, para que saibais que o Filho do Homem tem na terra o poder de perdoar os pecados: Levanta-te – disse Ele ao paralítico –, toma a tua maca e volta para tua casa (Mt 9,6).

Em outro, Jesus nos fala que não devemos impor limites a nosso perdão, pois, assim como o Pai Celeste nos perdoa, também devemos perdoar ao irmão que nos ofendeu.

> Então Pedro se aproximou dele e disse: "Senhor, quantas vezes devo perdoar a meu irmão, quando ele pecar contra mim? Até sete vezes?" Respondeu Jesus: "Não te digo até sete vezes, mas até setenta vezes sete" (Mt 18,21-22).

A palavra em parábolas

O hábito de contar histórias é muito antigo na humanidade, sendo frequentemente usado com fins terapêuticos; o próprio Jesus fazia isso por intermédio de suas parábolas. A psicanálise também se utiliza do relato de histórias para tratar certos pacientes. A imagem que o indivíduo tem de si mesmo pode curá-lo ou adoecê-lo. Ao contar a parábola, Jesus provocava o indivíduo de modo a fazê-lo repensar suas ideias; isso, muitas vezes, provocava irritação, por não ser fácil confrontar-se com aspectos do "eu", que estavam nas sombras, encobertos e que impediam o sujeito de viver uma vida plena. A palavra dita em parábolas ajuda o ser humano a lidar melhor com a rejeição, a culpa, o medo, a dúvida e o sofrimento de um modo geral (GRÜN, 2014b).

Aprendendo a lidar com a inveja por meio da parábola dos trabalhadores na vinha

> Com efeito, o Reino dos céus é semelhante a um pai de família que saiu ao romper da manhã, a fim de contratar operários para sua vinha. Ajustou com eles um denário por dia e enviou-os para sua vinha (Mt 20,1-2).

Na sequência da história, os empregados que são contratados primeiro, e que teriam trabalhado mais que os outros, não gostam de o pagamento ser igual para todos. O dono da vinha então lhes diz que eles estavam sendo invejosos e que cabia a ele, como proprietário, dispor como quisesse de seu dinheiro.

Com a parábola dos trabalhadores da vinha, Jesus nos mostra nossas próprias misérias, pois muitas vezes nos revoltamos ao comparar-nos com os ímpios, que não cumprem os mandamentos do Senhor e parecem ter uma vida melhor que a nossa. Ao contrário, devemos ser gratos a Deus estarmos no caminho certo sempre, termos uma vida pautada no trabalho e na honestidade, pois, se nos aborrecemos porque os outros possuem mais dinheiro, sucesso, bens do que nós, demonstramos ter inveja deles, mesmo que não estejam vivendo dentro dos princípios do Evangelho (GRÜN, 2014b).

Logo, não fiquemos revoltados por ver que outros que erraram e se arrependeram de seus erros também sejam acolhidos por Deus em seu reino. Para Deus, o tempo não existe, e, como Pai Amoroso que é, deseja que todos os seus filhos retornem para Ele, não importando quanto tempo demorou cada um para encontrar o caminho do bem. Ele quer ser justo com todos, mesmo que entre nós não o sejamos. A recompensa será a mesma tanto para os que sempre foram bons quanto para os que se converterem no final da vida. Lembremo-nos de São Paulo, perseguidor de cristãos, que depois tanto contribuiu com a Igreja de Cristo. Não sejamos tão implacáveis com os padres e religiosos, quando eles caem em tentação. Oremos por eles, para que se ergam novamente e continuem sua jornada como servos da vinha do Senhor.

Aprendendo a lidar com o lado escuro da alma por meio da parábola do trigo e do joio

> Jesus propôs-lhes outra parábola: o Reino dos céus é semelhante a um homem que tinha semeado boa semente em seu campo. Na hora, porém, em que os homens repousavam, veio seu inimigo, semeou joio no meio do trigo e partiu. O trigo cresceu e deu fruto, mas apareceu também o joio (Mt 13,24ss).

Todos possuem um lado bom e um lado mau. Desse modo, até quando fazemos o bem, quando difundimos a Palavra de Deus, temos alguma intenção oculta, talvez a vaidade, a ambição de ocupar um posto de maior importância entre os irmãos. Quando nos flagramos tendo um pensamento de raiva ou com intenções não tão nobres quanto as que gostaríamos de ter, aborrecemo-nos conosco e tentamos arrancar isso de nós. Mas, como ensina Jesus na parábola do joio e do trigo, arrancando o joio prematuramente, corre-se o risco de arrancar também o trigo. Apenas o Senhor sabe a época certa da colheita, que provavelmente será na hora da morte de cada um. Ao arrancar o joio com violência, poderá ser arrancado o trigo, não restando nada para ser colhido depois. Essa parábola nos ensina a não esmorecermos diante dos próprios erros, entregando-nos à desesperança e ao pecado (GRÜN, 2014b).

Lembremo-nos de que até entre os apóstolos havia disputas para saber quem seria o maior no Reino de Deus; ao final, todos se santificaram, com exceção daquele que se entregou ao desespero e à culpa, Judas Iscariotes. Aliás, quantos personagens bíblicos importantes eram surpreendidos no pecado! Um exemplo: Davi desejou a mulher de um de seus oficiais, cometeu com ela adultério, engravidou-a e ainda mandou seu marido para ser morto na guerra. Mesmo assim, Deus lhe perdoou e mandou o Messias entre seus descendentes.

Não devemos desanimar perante nossa gula. Antes, devemos perguntar-nos a razão de nossa ansiedade, que está nos impulsionando a comer demais. Não devemos nos culpar por tentar ajudar os outros, às vezes, com intenções que não sejam puramente altruístas. Melhor semear algumas sementes mistas e ter o que colher depois do que não semear nada e passar fome no futuro por não ter tido a coragem de plantar o que se tinha nas mãos (GRÜN, 2014b).

Aprendendo a superar as decepções por meio da parábola da figueira que não dava frutos

> Um homem havia plantado uma figueira em sua vinha e, indo buscar fruto, não o achou. Disse ao viticultor: "Eis que três anos há que venho procurando fruto nesta fi-

gueira e não o acho. Corta-a; para que ainda ocupa inutilmente o terreno?" Mas o viticultor respondeu: "Senhor, deixa-a ainda este ano; eu lhe cavarei e lhe deitarei adubo. Talvez depois disto dê frutos. Caso contrário, cortá-la-ás' (Lc 13,1-9).

Na referida parábola, o dono da vinha ordena ao agricultor que corte a figueira que não dera ainda nenhum fruto. O agricultor pede que lhe dê mais tempo, para que ele escave a terra ao redor da árvore e lhe adicione adubo. Também nós não devemos desistir de nós mesmos, perante nossas fraquezas. Podemos remexer no terreno de nosso ser por meio de uma terapia, de conversas e reflexões; e em seguida enriquecer nossa existência com o esterco de nossa vida, com nossas próprias fraquezas, tornando-nos capazes de dar frutos bons para nós e para os outros (GRÜN, 2014b).

A parábola do semeador abrindo caminho para a cura

> Saiu o semeador a semear. Enquanto lançava a semente, uma parte caiu à beira do caminho, e vieram as aves e a comeram. Outra parte caiu no pedregulho, onde não havia muita terra; o grão germinou logo, porque a terra não era profunda; mas, assim que o sol despontou, queimou-se e, como não tivesse raiz, secou. Outra parte caiu entre os espinhos; estes cresceram, sufocaram-na e o grão não deu fruto. Outra caiu em terra boa e deu fruto, cresceu e desenvolveu-se; um grão rendeu trinta, outro sessenta e outro cem (Mc 4,3ss).

Essa é uma das poucas parábolas que Jesus explica aos apóstolos; é considerada importante para entender as demais e está presente nos Evangelhos narrados por Mateus, Marcos e Lucas. A semente é a Palavra de Deus e poderá ou não frutificar, dependendo do solo, ou seja, do coração onde for semeada. Alguns ouvem a Palavra, mas não a entendem (as sementes que ficam à beira do caminho); por isso vem o maligno e as arranca, impedindo que floresçam. Outros escutam e acolhem a Palavra com alegria, mas logo vêm as tribulações ou as ilusões com as riquezas, fazendo com que as sementes que não possuíam raízes morram (essas caíram em terreno pedregoso); há ainda as que foram sufocadas por espinhos (as preocupações deste mundo, as mágoas) e não conseguem florescer.

Apenas as sementes que encontram um solo fértil, ou um coração aberto à vontade de Deus, conseguem dar frutos. Essa é a terra boa a qual se refere o Evangelho, que acolhe a Palavra e deixa que ela se aprofunde em seu íntimo, transformando sua vida verdadeiramente. A Palavra de Deus é silenciosa, mas também é uma palavra que fala. O indivíduo que ouve, entende, acolhe a semente do Evangelho e permite que ela modifique sua vida, para buscar o caminho da salvação, estará também tornando possível a cura de seu corpo e de seu espírito.

Superando obstáculos por meio da Palavra de Deus

Jesus nos ensina que, se tivermos fé, mesmo que pouca, seremos capazes de transportar uma montanha de um lugar para outro. Tal montanha pode ser interpretada como obstáculos intransponíveis, enormes problemas que, aos olhos humanos, seriam impossíveis de resolver. Para entrar no Reino dos Céus, devemos ser capazes de passar pela porta estreita, dizia Jesus. Para transpor a porta estreita é necessário ter mais atenção, vivendo de forma mais consciente. Ao contrário, quem só passa, se a porta for larga, vive de forma automática, acompanhando as massas, de forma desordenada, fazendo o que faz a maioria das pessoas, sem se importar muito com o desfecho final (GRÜN, 2014b). O autor chama atenção para a importância de se procurar ver o mundo pelas lentes da fé. Elas dão sustentação para viver as situações de sofrimento e os imprevistos. Ele afirma ainda que passar pela porta estreita significa percorrer o caminho individual; aquele que Deus preparou para cada um de nós. Certamente, não é o mesmo para todas as pessoas. Devemos nos questionar sobre que marca desejamos imprimir neste mundo. Escolhemos responder ao chamado pessoal, que certamente nos levará à salvação, ou escolhemos seguir ao chamado dos outros, sem ao menos nos perguntar aonde esse caminho coletivo e fácil nos levará? A Palavra de Deus é libertadora, possui efeito curativo, mas é também provocativa, desafiadora. Ela nos tira do marasmo diário, do conformismo. Ela nos convoca a aprender a lidar com as coisas do mundo, inclusive a como nos relacionar com os bens materiais e com o dinheiro, de modo a buscar o verdadeiro tesouro: a alma, o próprio mundo interior.

Concluindo

"O ser humano é uma palavra encarnada e silenciosa de Deus" (SARAH; DIAT, 2017. p.235). Segundo esses autores, nossas palavras não conseguem traduzir a grandeza do Criador. Estamos, então, convidados ao silêncio.

Grün (2014b) afirma, em suas análises das parábolas bíblicas, que "O bem-sucedido será aquele que encontrar verdadeiramente a si mesmo e viver de acordo com os preceitos do Pai, com humildade". O caminho para a cura, segundo esse autor, é a abertura verdadeira do coração para Deus, expondo-lhe tanto as feridas do corpo quanto as da alma. Isso implica mudanças comportamentais em relação aos outros e a si mesmo. As curas que Jesus realizava aconteciam pelo encontro dele com as pessoas que padeciam de algum mal. Para que tal encontro ocorra, é necessária a participação do doente também, não só do curador. Cada um deve ter participação ativa em seu processo de cura. Igualmente ocorre na terapia ou no acompanhamento espiritual. Para que o milagre da cura aconteça, o paciente precisa ativar em si mesmo sua força restauradora, sua fé, sua vontade de ficar curado, de mudar, para dar espaço, finalmente, ao poder curador e recriador de Deus. O terapeuta ou o acompanhante espiritual, mediante sua empatia, muito pode fazer pelo doente, transmitindo-lhe confiança de que a cura é possível.

Finalizo este capítulo recordando a passagem bíblica da criação do mundo:

No princípio, Deus criou o céu e a terra. A terra estava informe e vazia; as trevas cobriam o abismo, e o Espírito de Deus pairava sobre as águas. Deus disse: 'Faça-se a luz!' E a luz foi feita. Deus viu que a luz era boa e separou a luz das trevas. Deus chamou à luz DIA e às trevas, NOITE. Sobreveio a tarde e depois a manhã: foi o primeiro dia. (...) E Deus viu que isso era bom. Então Deus disse: 'Façamos o homem a nossa imagem e semelhança' (Gn 1,1ss).

Como foram criados o céu, a terra, o universo? Santo Agostinho (1981) explica, em seu XI livro, *Confissões*: pela Palavra. Na passagem do livro do Gênesis podemos constatar todo o poder criador da Palavra de Deus: *Faça-se*. Nós todos somos convidados a ouvir sua Palavra, acolhendo-a, refletindo sobre ela, para então afastar nossos medos, entregando-lhe nosso coração e nossa alma para que em nós atue seu poder criador. *Faça-se* um novo homem, uma nova mulher. *Faça-se* um corpo são, livre de doenças. *Faça-se* um novo ser, capaz de viver e pôr em prática tudo o que o Criador sonhou para ele.

II

Silêncio que fecunda

"Para tudo há um tempo, para cada coisa há um momento debaixo dos céus: tempo para rasgar, e tempo para costurar; tempo para calar, e tempo para falar."

(Ecl 3,1;7)

Introdução

"Nas prisões brilhantes do mundo moderno, o ser humano afasta-se de si mesmo e de Deus. Está fortemente preso ao efêmero e cada vez mais longe do essencial" (SARAH; DIAT, 2017. p.55). No mundo barulhento em que vivemos atualmente, não costumamos fazer silêncio. Muitos acham que parar com suas atividades diárias para o recolhimento interior, para a oração ou meditação é pura perda de tempo. Mas a verdade é que cessar com a verbalização de palavras e com o turbilhão de pensamentos, que povoam nossa mente por alguns instantes, é de extrema importância para a saúde do corpo e da alma. Afinal, é no silêncio que podemos sentir a presença de Deus.

Minha experiência com o silêncio teve início em um retiro espiritual que fui com meu marido, por recomendação das Equipes de Nossa Senhora, da qual fazemos parte. Sou uma pessoa muito falante e nunca havia passado por uma experiência como essa. A partir disso, nunca mais deixamos de ir a esses retiros, que se repetem todos os anos. Após um fim de semana, em que somos incentivados a permanecer boa parte do tempo em silêncio, sentimo-nos altamente revigorados espiritualmente. É como se a energia que nos é sugada, em nosso cotidiano, fosse reposta durante os momentos de oração e adoração contemplativa.

Outra experiência profunda que tenho com o silêncio é a adoração diante do Santíssimo Sacramento. Nesse momento, a divindade se revela a nossos olhos e ouvidos. Nesse instante, podemos meditar e tão somente adorar. Nossa boca e nossa mente silenciam, de modo a só existir o silêncio e a presença de Deus.

Mas o silêncio não é tão somente a ausência de ruído externo e de pensamentos. Se assim o fosse, ele se caracterizaria pela ausência, quando na verdade podemos dizer que é uma presença. Deus é o próprio silêncio e habita nosso íntimo, pois somos sua imagem e semelhança; somos filhos do silêncio (SARAH; DIAT, 2017).

Otto (2005) enaltece a importância do silêncio para a percepção indireta do totalmente outro, do Sagrado:

"Alta majestade, que permanece sublime, em um eterno silêncio, em um obscuro santuário. Javé está em seu santo templo, que toda a terra se cale perante Ele" (p.98). O autor nos lembra que, no momento da transubstanciação, nem a música mais perfeita transmite melhor a presença de Deus do que a solenidade do silêncio. Ele é tão profundo e tocante nesse momento que se deixa "ouvir".

O falar

A sociedade ocidental moderna valoriza aquele que muito tem a dizer e deprecia o indivíduo que prefere permanecer em silêncio; como se apenas o tagarela tivesse valor. O indivíduo que cala é confundido com um fraco, um ignorante. A mídia valoriza o indivíduo falante, principalmente aquele que expõe ideias concordantes com os valores invertidos da sociedade atual, mesmo que sejam contrárias aos ensinamentos do Evangelho. Mas para aquele que busca a Deus, a contemplação basta e a fala torna-se desnecessária (SARAH; DIAT, 2017).

O excesso no falar pode trazer consigo muitos problemas; a curiosidade seria o primeiro enumerado por Grün (2014a). Essa, por sua vez, levaria à distração e à superficialidade, pois, quando se fala sobre tudo, passa a impressão de que não consegue se aprofundar verdadeiramente em nada; tais pensamentos não serão os de Deus.

O autor vai dizer que outra consequência da tagarelice é o julgamento que se faz sobre os outros; de quem eu falo. Ao falar do irmão, o indivíduo compara-se a ele, quase sempre se achando superior; aponta os erros do outro, mas não enxerga os seus. O falador distancia-se da própria realidade ocupando-se da vida do outro; deixa de se conhecer melhor; já que no silêncio a pessoa fica a sós consigo mesma.

Grün (2014a) ainda cita outros problemas no falar exagerado: a vaidade e a perda da vigilância sobre si mesmo. No primeiro caso, o falador gosta de manter-se no centro das atenções; de estar sempre com a razão; de ser reconhecido. Já no segundo, ele negligencia a si próprio.

É natural que o ser humano valorize suas próprias opiniões e seus próprios pensamentos. Consequentemente, ele procura emitir, por meio da fala, tais julgamentos, rotulando muitas vezes as outras pessoas com quem convive (GRÜN, 2012a). Também sente uma grande necessidade de dividir com alguém nossos problemas, para dessa forma desafogar-se das mágoas e angústias. Nesse caso, o falar é um remédio (GRÜN, 2014a).

Frequentemente, somos atordoados com uma enxurrada de palavras daqueles que nos cercam em nosso dia a dia. Sentimos a necessidade ardente de estar em contato com a fonte primordial do silêncio divino. Ao mesmo tempo, existe um medo incontido de encontrá-lo e deparar-se, finalmente, com os ruídos internos, revelando algo que não se quer encarar (GRÜN, 2012a).

Menciono ainda outro grande inconveniente do falar demais: expressar-se de maneira inadequada ou em momento inoportuno, magoando as pessoas. Depois, o falador pede desculpas, mas de nada adianta; o mal já está feito. A palavra emitida não volta atrás e pode fazer muito estrago. Posteriormente, dirá: "Não era aquilo que eu queria dizer, desculpe-me". "Perdão, eu me expressei mal; não foi isso que eu quis dizer". O irmão pode até dizer que perdoa, mas lá no fundo não o faz de coração, permanecendo aquela mágoa contida. Pronto, está estragado o relacionamento entre parentes consanguíneos, colegas de trabalho, membros de um grupo religioso.

Por mais que Jesus tenha dito: "Perdoai a vosso irmão 70 vezes 7" (Mt 18,22) e ainda: "A falta que não perdoardes a teu irmão lhe será retida; ou seja, o Pai do céu o julgará com a mesma medida com que julgardes vosso irmão" (Mt 6,14-15), dificilmente o erro do outro contra nós vai ser totalmente esquecido; o azedume da ofensa sofrida vai estar sempre lá, como um espinho furando a carne. São poucos os que têm a capacidade de perdoar como Cristo pede nos Evangelhos. Mas esses é que realmente são felizes, por não acumularem entulhos no coração nem na mente. São mais livres, mais leves dos que os que remoem mágoas.

O calar

O ato humano de conter a fala, de silenciar interna e externamente é um exercício extremamente difícil de ser atingido. Calar-se é renunciar à vontade de exprimir opiniões, de emitir julgamentos a respeito dos outros, comparando-se a eles. É eximir-se de ser notado; é simplesmente estar em determinado lugar como se lá não estivesse (GRÜN, 2012a). O autor vai dizer que de nada adianta o calar em um indivíduo cheio de inquietação. Para se atingir o silêncio verdadeiro e benéfico, é necessário também fazer cessar todo o barulho interior.

Deus age em nossa vida, transforma nosso interior, modifica situações. Mas para sua ação manifestar-se em nós, é imprescindível o isolamento, o recolhimento. A transubstanciação ocorre mediante a oração do sacerdote, mas o milagre da transformação do pão e do vinho no corpo e sangue de Cristo acontece no mais absoluto silêncio. Este permite ao homem o contato com a verdadeira Palavra, que habita seu coração. Na adoração ao Santíssimo Sacramento, é possível experimentar, por meio da contemplação, uma gotinha de eternidade. No céu, junto aos anjos e santos, não há necessidade de palavras; lá o silêncio é trinitário e relaciona-se à plenitude divina (SARAH; DIAT, 2017).

Em outra publicação, Grün (2014a) chama atenção para que se crie uma disciplina para o silêncio, pela qual se impõe o calar exterior para induzi-lo à calma interior. Quando existe discórdia nos relacionamentos, o silenciar ajuda a processar a raiva antes de externá-la de forma agressiva. Dessa forma, tem-se um período de reflexão para decidir se vale ou não a pena falar com o outro sobre o comportamento que nos feriu. Uma vez que a cortina da agressividade foi retirada, o diálogo dará mais frutos para ambas as partes.

O autor citado, anteriormente, diz ainda que o silêncio pode ser maléfico para aqueles que se isolam das outras pessoas. Acreditando não precisar de ninguém, degustam seu rancor e o alimentam com argumentos ofensivos. O silêncio de fachada é perigoso: o orgulhoso silencia externamente, por se achar melhor do que os outros, enquanto o ofendido remói calado a ofensa sofrida.

Silenciando verdadeiramente, tornamo-nos aptos a conhecer o mecanismo pelo qual projetamos nossos erros para os outros. Ao contrário, o falar incessante nos torna cegos para nossas falhas, pois dedicamo-nos o tempo todo a olhar para a vida do outro (GRÜN, 2014a). Jesus chama a atenção para esse comportamento:

> "Por que reparas tu o cisco no olho de teu irmão, mas não percebes a viga que está em teu próprio olho? E como podes dizer a teu irmão: Permite-me remover o cisco do teu olho, quando há uma viga no teu? Hipócrita! Tira primeiro a trave do teu olho, e então poderás ver com clareza para tirar o cisco do olho de teu irmão" (Mt 7,1-5).

Em João 8,7-11, Jesus, mais uma vez, demonstra a relação entre o falar e o julgamento sobre as ações dos outros. Os fariseus trazem diante dele uma mulher que fora surpreendida em adultério e que, segundo as leis de Moisés, deveria ser apedrejada como punição a seu crime. Ao ser questionado sobre o castigo a ser dado àquela mulher, Jesus permanece em silêncio, escrevendo algo na areia, sem se alterar. Mas, diante da insistência daqueles que queriam pô-lo à prova, Ele, então, declara: "Aquele que não tiver pecado, atire a primeira pedra" e volta a ficar em silêncio, escrevendo no chão.

Em outra passagem célebre (Lc 23,6-12), o Mestre permanece em silêncio ao ser interrogado por Herodes, que se irrita com Ele. Que ser humano em pleno juízo não tentaria argumentar em defesa própria ao se ver preso e injustiçado? Mas Jesus, em sua infinita sabedoria, não quis desperdiçar palavras com alguém que Ele bem sabia que não o ouviria de fato; não se converteria. Argumentar com Herodes seria análogo a jogar pérolas aos porcos. Sigamos o exemplo de Cristo: "Saibamos silenciar quando necessário; quando nossa fala for inútil ou dispensável".

O silêncio é o caminho mais direto até Deus, sendo muito importante para a Igreja, pois rememora os 30 anos silenciosos de Cristo, bem como os 40 dias em que Ele se isolou no deserto, sua Paixão, morte e ressurreição. A liturgia deve respeitar os momentos destinados ao silêncio durante as celebrações eucarísticas, para que não corram o risco de esvaziar-se de seu verdadeiro sentido; tais instantes: antes das orações; após a leitura da Palavra e comunhão; e durante o ofertório, são verdadeiras respirações da alma. A Igreja deve refletir a luz que irradia do Cristo; lembremo-nos de que a luz não faz barulho, é silenciosa (SARAH; DIAT, 2017). Afinal, não é essa luz que buscamos?

Obstáculos ao silêncio

A televisão e o rádio são grandes obstáculos para que o indivíduo fique a sós consigo mesmo e ouça seu coração. Muitas pessoas ficam incomodadas ao se verem sozinhas, sem ter com quem falar; assim elas buscam incessantemente por atividades que as mantenha ocupadas, como fazer uma arrumação na casa, ou simplesmente passar horas assistindo a programas na televisão. Preferem fazer coisas sem parar a ficar diante de si mesmas, com suas dores, frustrações e culpas. Ao parar, elas defrontam-se com seu caos interior e isso as incomoda (GRÜN, 2014a).

O barulho, apesar de ser um obstáculo, não impede totalmente que se atinja o verdadeiro silêncio. O cardeal Sarah (2017) diz, em sua obra, "A força do silêncio contra a ditadura do ruído", que podemos permanecer nesse estado mesmo estando rodeados de um turbilhão de acontecimentos e sons perturbadores a nosso redor. O silêncio habita nossa alma, faz parte de nosso ser. Afirma ele em seu livro: "Então, que o mundo se cale e que o silêncio retorne..." (p. 276).

Grün (2014a) nos fala que os vícios (acídia ou inércia, vaidade, orgulho, ira, gula, luxúria, cobiça e tristeza) constituem empecilhos para se atingir o silêncio interior. Os pensamentos com comida, fantasias sexuais, desejo de possuir coisas perturbam a paz interna do indivíduo. Apenas quando se consegue libertar dos desejos incontidos, dos problemas não resolvidos, das mágoas reprimidas é que se atinge o verdadeiro silêncio interior.

A ditadura da imagem do mundo moderno é inimiga do silêncio e invade a mente das pessoas com suas luzes ofuscantes, afastando-as da luz verdadeira. Já não há mais paz nem mesmo no olhar do ser humano, sempre inquieto, à procura de novas emoções e bens materiais (SARAH; DIAT, 2017).

Os obstáculos ao silêncio também existem dentro de nós. Somos cheios de soberba, achamos que temos muito a ensinar aos outros e que tudo o que falamos é importante. Mas isso é ilusão; nem sempre as outras pessoas estão dispostas a nos ouvir ou concordam com nosso ponto de vista. Se lançarmos um olhar atento sobre os que nos escutam, enquanto tagarelamos sem parar em uma reunião de amigos, veremos que alguns não estão realmente prestando atenção, ou estão torcendo o nariz por não concordarem conosco ou, simplesmente, por duvidarem daquilo que estamos expondo. Nessa situação teria sido melhor ficar em silêncio, ouvindo o que os outros têm a nos ensinar. Se surgir um momento oportuno, falamos; caso contrário, calamos. Quem muito fala muito se expõe; e, às vezes, cai no ridículo, sem o perceber. Para refletir: "Deus nos deu dois ouvidos e apenas uma boca".

Como atingir o silêncio

Existem muitas formas para atingir o silêncio no cristianismo, no hinduísmo e no budismo, tais como o uso de mantras, associado à respiração ou à meditação silenciosa. A contemplação do mar ou de um lago também pode ser utilizada com esse fim (GRÜN, 2012a). A obra *Medicina e Espiritualidade* (PEREIRA, 2015) trata sobre a oração silenciosa diante do Santíssimo Sacramento como forma de meditação, que aproxima o indivíduo de Deus, trazendo-lhe paz e tranquilidade. Eis a divindade se manifestando na contemplação, no oferecimento de si mesmo a Deus, na adoração, no repouso orante, na entrega (SARAH; DIAT, 2017).

Manter-se conectado aos próprios sentidos auxilia o indivíduo a manter-se concentrado em si mesmo. Há lugares em que se encontra naturalmente o silêncio; a exemplo de uma igreja, um bosque, e até mesmo, nossa casa quando isolada dos ruídos externos. Então, primeiramente, podemos nos concentrar em olhar o ambiente a nossa volta; contemplar a luz do sol e, dessa forma, permitir-nos enxergar nossa alma. Depois, passamo-nos apenas a ouvir os sons do ambiente, como o canto dos pássaros, o zunido do vento, o barulho de insetos; isso potencializa o silêncio e traz uma sensação de paz interior (GRÜN, 2012a).

O autor, anteriormente mencionado, também demonstra a importância do olfato; sentido capaz de transportar o indivíduo aos primeiros tempos de sua vida, dando-lhe uma sensação de segurança e liberdade. Igualmente eficaz em nos colocar em contato com o ambiente é o tato, quando percebemos o calor do sol sobre nossa pele, a textura de uma flor, a suavidade do vento batendo em nossa face. Por meio desses sentidos, podemos sentir o inexprimível e tocar o intocável: o mistério da vida. O contato com a natureza nos aproxima do Criador, acalma, aquieta os pensamentos. Por meio das belezas do universo, que nos cerca, podemos sentir, enxergar, ouvir, respirar o próprio Deus.

Os monges do deserto, sempre mencionados nas obras de Grün (2014a), chamavam atenção para a importância do desapego de uma forma geral: do passado, das pessoas, das coisas, das emoções, da própria vida, como forma de se chegar ao verdadeiro silêncio. Isso facilita o contato com Deus, na medida em que nos desprendemos de nossas preocupações, anseios e até de nós mesmos. Afinal, de que adiantariam as posses acumuladas durante a vida, as opiniões formadas sobre tantos assuntos, os papéis que desempenhamos perante a sociedade, se soubéssemos que estaríamos mortos em um curto espaço de tempo?

Dois exemplos vivos de silêncio: o papa emérito Bento XVI e Jesus. O primeiro, renunciou às honras do pontificado e recolheu-se para orar em um mosteiro da Cidade do Vaticano, e o segundo passou 30 anos de sua existência em silêncio, fortalecendo seu espírito para a missão. Durante sua vida pública, retirou-se para o deserto, para a montanha, afastando-se do ruído externo para ouvir a Deus (SARAH; DIAT, 2017).

Benefícios do silêncio interior (GRÜN, 2014a):

- por meio do silêncio, o ser humano chega ao autoconhecimento;

- é por meio dele que se chega mais facilmente ao amadurecimento;
- ajuda o indivíduo a manter-se concentrado no presente, preparando-se para o futuro;
- no silêncio, posso ouvir Deus, abrindo-me a sua vontade;
- ajuda a executar o trabalho de uma forma mais eficiente, abrindo-se para o serviço a Deus;
- no silêncio, cria-se uma atmosfera propícia à oração.

O fruto do silêncio é aprender a discernir o que Deus nos fala, com a sutileza e o mistério próprios da divindade. É no silêncio que são realizadas as ações da natureza: crescem as plantas, nasce o sol, circula o sangue pelas veias, desenvolve-se o feto no útero materno. No frenesi do mundo moderno, o homem acostumou-se ao barulho, a ponto de viciar-se nele, de modo semelhante a uma droga. O ruído o entorpece, dando-lhe a sensação de calma. Mas esta não é duradoura tampouco verdadeira, tornando-se fonte de doenças e infelicidade. Quando nos aproximamos do silêncio de Deus, tornamo-nos o próprio silêncio (SARAH; DIATH, 2017).

Concluindo

Comparando o barulho ao silêncio na vida do ser humano, Sarah e Diat (2017) atribuem ao primeiro o papel de um barco à deriva, em um mar violento, e ao segundo o mesmo valor de um leme que conduz a embarcação a um porto seguro. A depressão e tantos sofrimentos morais, que, por vezes, culminam com o suicídio, podem, segundo esses autores, estar relacionados com a perda de contato com o mistério do Sagrado.

A voz de Deus ecoa no silêncio, desde o princípio, quando nada ainda fora criado, nem o céu, nem a terra (Santo Agostinho, 1981). Quando superamos momentos de dor e de luto, damo-nos conta de que o barulho é supérfluo e de que permanecer em silêncio é uma oportunidade para exercer a compaixão, abrindo mão do desejo de julgar os outros, ficando atentos aos sons das batidas do próprio coração. Após um fracasso, vem a oportunidade de vivenciar uma nova espiritualidade, dando espaço à tolerância para com o irmão, em sua própria maneira de ser, vendo-o como um mistério único no mundo. Já não há o desejo de sobrepor-se aos outros com um turbilhão de emoções. O silêncio nos dá essa oportunidade de recomeço (GRÜN; ROBBEN, 2007).

Um exemplo vivo de existência silenciosa, mas, nem por isso, pouco importante, é o da Virgem Maria. Não se fazia notar, mas estava sempre presente na vida de Jesus, permanecendo junto dele até o último instante. E quão doloroso foi vê-lo carregando a cruz, caindo pelo caminho, sendo açoitado, crucificado e, finalmente, recebê-lo morto em seus braços! Sua vida silenciosa nos mostra a verdadeira força do silêncio. Interessante o fato de ela não ter sido molestada pelos soldados romanos, sempre tão cruéis com todos, em um tempo em que a mulher não tinha o menor valor.

Maria não se deixou amedrontar como Pedro, que negou Cristo três vezes. Pedro sempre tão falante e impulsivo, que se dizia disposto a acompanhar o Mestre a qualquer lugar, acovardou-se e fugiu. Ao contrário, Maria, que raramente opinava e que pouco apareceu nas passagens bíblicas, ficou firme e de pé aos pés da cruz. Suportou a maior dor que uma mulher pode suportar: ver seu filho inocente ser assassinado brutalmente, sem, contudo, deixar-se abater. Sua fé em Deus e em seu filho era inabalável. Sua presença silenciosa era suficiente; miremos e sigamos seu exemplo.

Encerro este capítulo com as palavras de Campbell (2011):

> "Toda referência espiritual derradeira é ao silêncio para além do som. A palavra tornada carne é o primeiro som. Para além desse som está o transcendente desconhecido, o incognoscível. Pode ser referido como o grande silêncio, ou o proibido, ou o absoluto transcendente" (p. 104).

III

Como a fé pode ajudar no tratamento da depressão

"No mundo tereis aflições.
Mas tendes coragem! Eu venci o mundo."

(Jo 6,33)

Introdução

A depressão é uma doença grave, que acomete diversas faixas etárias, inclusive crianças na primeira infância, encontrada nas sociedades ocidental e oriental, cujos números ascendentes de pessoas acometidas estão atingindo níveis epidêmicos pelo mundo. É causada por inúmeros fatores, tais como: genéticos, orgânicos, ambientais. Manifesta-se com sintomas que causam disfunções de humor, disfunções cognitivas, físicas e comportamentais, podendo adquirir caráter incapacitante, afastando o indivíduo de suas atividades profissionais e acadêmicas; em último grau, leva o indivíduo ao suicídio. É vista pela sociedade como uma fraqueza de caráter, sendo revestida de estigma; por isso, muitas vezes, é negada pelo indivíduo doente ou por seus familiares (SILVA, 2016).

Essa patologia vem, a cada dia, acometendo um número cada vez maior de pessoas, já tendo atingido o segundo lugar entre as principais causas de falta ao trabalho no mundo. Estima-se que 20% da população apresentará um quadro depressivo, ao menos uma vez em sua vida. As causas apontadas são as mais variadas: a sobrecarga com o trabalho, com a criação dos filhos, dentre outras. As pessoas, muitas vezes, sentem-se esgotadas com a cobrança que a sociedade exerce sobre elas, para que sejam belas, inteligentes, bem-sucedidas. Elas se sentem oprimidas por não conseguirem manter o controle de tudo em sua vida (GRÜN, 2014c).

Solomon (2010) define a depressão como uma doença capaz de degradar o ser humano de modo semelhante ao que faz a ferrugem, que, aos poucos, vai destruindo o ferro, até o ponto de uma grande estrutura se desmoronar por inteiro. Ele a descreve como uma imperfeição na forma de amar, em que o indivíduo deprimido torna-se incapaz de dar ou receber afeto, tornando-se indiferente a tudo. De forma metafórica, refere-se à depressão como um demônio que aterroriza o homem. Por isso o título da obra que escreveu, com inúmeros relatos de pessoas que foram afligidas por essa patologia: "O demônio do meio dia: uma anatomia da depressão".

Grün (2014c) chama atenção para um possível desenraizamento pelo qual alguém esteja passando, ou seja, um afastamento de suas origens em decorrência de mudanças bruscas em sua vida. Ele vai dizer que não existe pessoa forte ou fraca; qualquer um pode ser surpreendido por essa doença, caracterizada pela falta de ânimo para enfrentar a vida. É quase certo que a causa do esgotamento psíquico não seja apenas a sobrecarga no trabalho. São múltiplos fatores que desencadeiam a patologia em questão; também seu tratamento não é unifatorial.

O padre Reginaldo Manzotti (2015) define a depressão como sendo "uma ferida na alma", um estado de profunda tristeza, que persiste no mínimo por duas semanas diariamente ou, na maior parte do tempo, vem acompanhada de outros sintomas, que serão elencados posteriormente.

Trata-se de uma doença, que, como diz o Dr. Savioli (2004), alia-se a outras patologias, tais como: doenças autoimunes, cardiovasculares, vários tipos de câncer e ainda outras doenças psiquiátricas importantes. Existe notadamente uma relação íntima entre os sistemas imunológico e nervoso; o que explicaria tal fisiopatologia.

É importante que se diga que tanto a abordagem psicoterapêutica quanto a medicamentosa tem seu valor e devem ser usadas em conjunto para melhor êxito de tratamento. Neste capítulo, será feita uma pequena exposição das causas dessa doença, enfatizando a importância da fé nesse período, pois, como dizia o padre Zezinho em uma de suas canções:

> E vou gritar que por mais
> difícil ou impossível acreditar
> é mais difícil e impossível
> viver a vida sem esperar.

Sinais de depressão segundo Grün (2014C)

- Alguns indivíduos vivem permanentemente insatisfeitos, mal-humorados. Vivem inquietos, de um lugar para o outro, fugindo de si mesmos.
- Possuem uma visão distorcida da realidade a sua volta.
- Sentem-se culpados por tudo, até mesmo por fatos distantes de sua própria realidade, a ponto de não conseguirem sequer assistir à televisão.
- Perdem o interesse pelo trabalho.
- Têm o olhar preso no vazio, não se detendo a nada.
- Não enxergam o que está a sua volta, tampouco fitam a si mesmos, seu "eu" interior.
- Ficam em estado de paralisia diante da vida.
- Sentem-se presos a imagens do passado e se julgam culpados por algo.

Savioli (2004) chama atenção para esse mal, que, segundo ele, apresenta-se com os seguintes sinais:

- sensação de tristeza;
- autodesvalorização;
- pensamento ou desejo suicida;
- perda de interesse por atividades antes prazerosas (não há prazer em mais nada);
- fadiga ou perda de energia;

- perda da capacidade de tomar decisões;
- isolamento social;
- perda da libido;
- crises de choro;
- aumento ou diminuição do apetite;
- sonolência ou insônia;
- manifestações somáticas diversas, tais como: dor no peito, falta de ar, náuseas, vômitos, tonturas, dores na coluna ou no abdome.

Causas de depressão

Ao contrário do que alguns pensam, depressão não é algo simples e deve ser vista de acordo com a individualidade de seus portadores. Na verdade, um somatório de fatores pode estar envolvido e interagido de modo a causar o início e o desenrolar da doença. Como **causas biológicas,** podem ser citadas as modificações na bioquímica cerebral, bem como as variações hormonais, que ocorrem no organismo humano no decorrer da vida. Assim, o corpo humano passará por vários estágios de desenvolvimento, da infância à velhice; e, em cada fase da vida, poderão ser observados diferentes níveis hormonais, os quais, por sua vez, poderão modificar o funcionamento cerebral (SILVA, 2016).

Alguns pesquisadores relacionam ainda a predisposição à doença depressiva com uma maior atividade no hemisfério cerebral direito. Talvez, por isso, falar sobre a própria dor é uma das formas de tratar a depressão; uma vez que, ao verbalizar, o indivíduo ativa o lado esquerdo do cérebro, contrabalanceando o domínio do uso do hemisfério direito existente nessas pessoas (SOLOMON, 2010).

Todas as faixas etárias estão sujeitas a essa doença, porém as mais suscetíveis são os adolescentes e os idosos, bem como os artistas e demais profissionais dotados de grande criatividade, como poetas, escultores e arquitetos. Mas não escapam as donas de casa ou os executivos. Tanto os adolescentes quanto os idosos se sentem muito solitários e, muitas vezes, esquecidos pelos parentes. A mulher parece mais propensa à depressão do que os homens. Talvez por variações hormonais a que estão sujeitas, pela jornada dupla ou, até mesmo, tripla de trabalho. Há ainda a grande necessidade que as pessoas do sexo feminino possuem de se aprofundarem no amor; e, quando suas expectativas amorosas são frustradas, elas se deprimem (CANOVA, 1988).

O indivíduo pode ainda ter herdado de seus genitores, ou mesmo de um parente distante, a vulnerabilidade para a doença depressiva, sendo, portanto, portador de uma **tendência genética** para o desenvolvimento dessa doença (CHAVE-JONES, 1996; SILVA, 2016).

Outro fator desencadeante, importante, é o **psicológico ou ambiental**, manifestado em determinada época da vida do ser humano, que poderá ser submetido a situações de estresse agudo, como, por exemplo, a perda do emprego, uma separação ou ainda a morte do cônjuge ou dos pais.

Situações de estresse crônicas, como as que se observam nas relações de trabalho, também podem ser importantes no desencadeamento de tal entidade nosológica, como ocorre na Síndrome de Burnout (SILVA, 2016).

Viorst (2005) aponta como provável causa de depressão as ausências prolongadas sofridas pela criança que se vê longe de sua mãe, durante os primeiros seis anos de sua vida, causando o que a autora chama de cicatriz no cérebro. Segundo ela, a criança que, posteriormente, se tornará um ser adulto tolera a ausência da mãe, desde que provocada por ela mesma e que a mãe permaneça esperando por ela. A autora associa à mãe várias imagens tais como: a raiz, o pano de fundo de uma paisagem, uma rede de proteção; enfim ela é alguém importante, que nos dá a segurança necessária para arriscar-se na vida, pois sabemos que sempre contaremos com ela.

Eu, pessoalmente, posso atestar como verdadeira essa hipótese, uma vez que passei por uma experiência dolorosa aos dois anos de idade, quando minha mãe teve alguns problemas de saúde e fiquei aos cuidados de minha avó materna por aproximadamente três meses. Tenho uma vaga lembrança desse período, quando me vem à memória minha avó dizendo a meu ouvido: "Peça a Nossa Senhora para sua mãe ficar boa!" Isso se repetiu várias vezes, ficando gravado em meu subconsciente. Anos depois, essa lembrança veio à tona. Como eu não sabia do que se tratava, perguntei a meu irmão mais velho, que me confirmou a veracidade do fato.

Provavelmente, devido a essa separação prolongada e precoce, não gostava de me despedir de minha mãe, ao retornar das férias, que passava com ela a cada final de semestre da Universidade; e menos ainda quando era ela que partia após um período em que viesse me visitar. Sempre me via tomada de grande tristeza, como se a estivesse perdendo de forma definitiva.

Na idade adulta, ela passava períodos de seis meses em minha casa e depois voltava para sua residência cerca de 450 quilômetros de onde eu morava. Eu achava horrível sua partida, mesmo já estando na companhia de marido e filhos. Finalmente ela veio morar definitivamente comigo, por motivos de saúde, assim permanecendo até sua morte. Sempre tive muito medo de encarar essa perda e, apesar de saber que a morte é o desfecho natural da vida, não consegui superar essa fase sem adoecer; sucumbi à depressão. Por ser médica e conhecer muito bem os primeiros sinais da doença, comecei um tratamento por conta própria e procurei ajuda de uma profissional, passando, então, a fazer psicoterapia associada aos antidepressivos.

Ao conversar com alguns parentes e amigos, notava, às vezes, uma certa estranheza ao ver o quanto eu sofria por ter perdido minha mãe. Parecia que eu tinha a obrigação de estar bem, por já ser adulta, casada e mãe de três filhos. Até mesmo os médicos que tratavam dela pareciam querer que eu encarasse sua partida de forma indolor. Afinal, todos morrem, e eu por ser médica sabia muito bem como tudo funciona. Pessoas com câncer morrem; idosos morrem. Percebi que meus irmãos superaram melhor do que eu a partida dela. Mas por que para mim o luto era tão arrastado, tão doloroso?

Durante meu processo de recuperação, lembrei-me desses acontecimentos na primeira infância e, com auxílio de minha terapeuta e de algumas leituras, passei a entender melhor o que estava acontecendo comigo. Além do fato de conviver a todo instante com suas lembranças vivas dentro minha casa, onde ela morou comigo tanto tempo, de ter compartilhado com ela toda a sua dor do começo ao fim da doença, tinha essa cicatriz em minha existência: o abandono que senti aos dois anos de idade, quando ela ficou doente e não pôde cuidar de mim, deixando-me aos cuidados de minha avó. Entendendo melhor o que se passou, pude dar início a meu processo de cura.

Características da pessoa predisposta à depressão, segundo Chave-Jones (1996):

- insegurança, contrabalanceada pela necessidade de manter-se sempre no controle de tudo;
- dependência em relação a outras pessoas;
- sensibilidade exagerada às críticas ou rejeição;
- dificuldade em dizer não e de se autolimitar;
- perfeccionismo, ligado a um forte superego;
- dificuldade em delegar tarefas;
- personalidade enérgica;
- ambição;
- Importa-se excessivamente com a opinião de terceiros;
- necessidade de reconhecimento e respeito;
- medo de perder o afeto dos outros;
- dificuldade em lidar com a agressividade dos outros;

- sensibilidade a perdas, provavelmente por alguma experiência negativa sofrida na infância.

A autora mencionada encerra dizendo que qualquer pessoa pode se enquadrar em algumas dessas características. Solomon (2010) lembra que a depressão atinge de modo diferente pessoas diferentes. Umas, por possuírem personalidade forte, resistem a ela bravamente, até nas formas mais severas da doença, enquanto outras, de personalidade mais delicada e suave, sucumbem a suas formas mais leves. Esse autor contraria a ideia, afirmada por alguns, de que a depressão seria uma doença de classe média e alta; de gente que sofre demasiadamente por problemas que não as afetaria se precisassem lutar com afinco para sobreviver, ou seja, se fossem pobres ou miseráveis. Em sua experiência, coletando histórias de pessoas deprimidas pelo mundo, ouviu indivíduos de várias nacionalidades que enfrentavam realidades as mais diversas possíveis; mas todas elas com um denominador comum: sofrimento extremo e depressão.

Estou deprimido(a).
Por que será que ninguém me entende?

Alguém certamente dirá:
– O que ela tem? Por que está sempre com essa cara triste? O marido dela é tão bom! Tem gente que não sabe viver mesmo. Se morasse na favela e não tivesse o que comer, veria o que é sofrimento real.

– Depressão é coisa de quem não crê em Deus. Você não está indo para sua igreja não, irmã?
– Isso é falta de vergonha na cara. Para mim, não passa de um preguiçoso; passa os dias deitado em uma cama sem fazer nada.
– Eu acho que você não tem depressão. Vive rodeada de gente! A pessoa que vive isolada é que tem depressão.
– Mas por que ela está desse jeito? Só porque perdeu a mãe? Se tivesse sido o marido, eu entenderia.
– Isso é coisa de quem não tem força de vontade. Quem é forte reage. Não fica se entregando. Ele(a) é um(a) fraco(a).
– O quê? Ele(a) cometeu suicídio? Meu Deus, como era fraco(a)!
– Não acredito! O padre está depressivo? Não crê em Deus, não?
– Gente, que absurdo! O psiquiatra cometeu suicídio? Que espécie de profissional era ele?
– Se eu fosse rico, não teria tristeza que me pegasse. Eu me curava fazendo compras no *shopping*.
– Depressão? Isso é frescura de gente rica, que não tem o que fazer. Queria ver alguém ter depressão com um monte de louça para lavar e de coisas para arrumar em casa!
– Ele(a) não veio trabalhar? Realmente esse serviço está de mal a pior. Esse(a) médico(a) só vive faltando e dizendo que está doente! Ele(a) não gosta de trabalhar. Deviam colocar outro(a) em seu lugar.
– Minha querida, você está com raiva porque sua mãe morreu? Precisa de um tratamento mesmo. Isso não é normal.

– Você só vive chorando pelos cantos da casa. Isso já aconteceu a tanto tempo! Eu nem lembrava mais. Você adora remoer o passado. Por isso sofre à toa. Não me admira viver tomando esses remédios de doido.
– Deixe de tomar esses remédios, meu amor. Você não precisa disso! Eu faço você ficar boa.
– A pessoa tem de querer se ajudar, senão não fica boa nunca.
– Arrume-se. Tome um banho. Desse jeito seu marido vai procurar outra na rua.
– Você rumina demais as coisas antigas. Não aguento mais essa sua conversa mole. Vou passear por aí. Você está uma chata!
– Mulher, você está precisando fazer um regime. Está gorda demais!

Alguns desses comentários pude ouvir de pessoas que conviviam com indivíduos depressivos e que se achavam no direito de julgá-los sem qualquer conhecimento de causa. Só quem pode quantificar uma dor é quem a sente. Depressão é uma dor que vem da alma e talvez, por esse motivo, seja de difícil aceitação pelos que rodeiam o doente. Para eles é mais fácil entender uma doença meramente física, mais palpável, de sintomas visíveis sobre o corpo.

Chave-Jones (1996) lembra aos familiares que tem alguém deprimido em casa, que essa doença não é adquirida por que o doente quer. Afinal, ninguém gosta de ficar triste. Esse não é um problema provocado pela pouca força de vontade. E que ser agressivo com o deprimido, bem como rejeitá-lo, piora ainda mais o estado de inutilidade assumido por ele. Alguns, diz a autora, perdem a paciência por já terem ouvido aquela história, aquele ponto de vista de horizontes tão estreitos, tão maçante, deixando transbordar uma certa irritabilidade no trato com o portador da depressão.

Alguns casos verídicos

Marta (nome fictício) era uma jovem muito bonita e inteligente. Trabalhava, ganhava seu próprio dinheiro e podia comprar o que precisava para si. Aos dezoito anos, conheceu um rapaz, em sua cidadezinha, com quem se casou alguns anos depois. Ele era um bom rapaz, responsável, trabalhador. Mas, logo que se casaram, Marta viu seus sonhos de felicidade desmoronarem. A família de seu marido era um estorvo para seu casamento. A sogra vivia se metendo em tudo, dizendo a seu marido que ela gastava demais; que não precisava investir tanto dinheiro em um enxoval de bebê (era o primeiro filho do casal); aquilo era desperdício.

Seu marido, por vezes, dava ouvidos à mãe e brigava com a esposa. Os irmãos dele viviam na casa do casal, pois trabalhavam para seu marido, e as brigas tornaram-se cada dia mais frequentes.

Nasceu o primeiro filho do casal. Pouco tempo depois nasceu o segundo. Como Marta trabalhava fora, não podia cuidar de duas crianças pequenas. A prefeitura onde trabalhava não permitia que ela tirasse uma licença para cuidar dos filhos. Ela, então, deixou o mais velho, com cerca de um ano e meio, aos cuidados de sua mãe, indo visitá-lo todos os dias.

Passados alguns anos, seu marido decidiu mudar-se para uma cidade vizinha, sob o pretexto de abrir lá um negócio. Marta, a contragosto, com os filhos, acompanhou o esposo, pedindo demissão do emprego. Lá chegando, deu à luz uma menina. Apesar de desejar muito aquela criança, começou a sentir em seu coração uma profunda tristeza. Sentia-se muito sozinha, sem ajuda de ninguém para cuidar dos três filhos. E esse bebê, que agora veio ao mundo, dependia inteiramente dela, requisitava cuidados. Mas ninguém se importava com ela. Seu marido só pensava em trabalhar e ganhar muito dinheiro; não tinha tempo para ela.

Sua tristeza aumentava a cada dia. Já não dormia à noite e passou a ver vultos, luzes, a ter alucinações. Até que um dia, teve um surto psicótico, no meio da rua, diante de outras pessoas. Aquilo foi uma vergonha. A família de seu marido, que nunca a ajudara em nada, dizia que ela adoecera porque era fraca, afinal havia outros casos de doença psiquiátrica entre seus parentes. Seu caso agravou-se, e os médicos da região recomendaram seu internamento, em um hospital psiquiátrico na capital. Lá ela permaneceu por um tempo, tendo alta em boas condições. Manteve o tratamento por toda a vida, não mais tendo recidiva desse quadro.

Mas o que afinal fez aquela jovem perder sua saúde mental? Analisando mais afundo sua história, soube que para ela, que depositou tantos sonhos naquele enlace matrimonial, o marido foi uma grande decepção. Deixava-a sozinha em momentos importantes, sem ajuda alguma, mesmo no pós-parto. A família de seu esposo fomentava diversas brigas entre o casal, deixando a vida de Marta ainda mais difícil.

Ela deixou de ter uma vida produtiva, em que ganhava seu sustento, para tornar-se totalmente dependente do marido, que a manipulava, deixando-a à mercê de suas decisões. Além disso, ele não supria totalmente suas necessidades, pois era muito avarento, ocupando-se apenas de guardar dinheiro. Nem mesmo com a saúde dos filhos se incomodava, abstendo-se até de comprar-lhes remédios. Discutia com ela, até mesmo, por uma roupa que precisava comprar para eles.

Durante sua gestação, sentia-se desamparada por estar longe da mãe, que a ajudava com as crianças. E, após nascimento de sua filha, começou a desenvolver uma depressão silenciosa, sem que ninguém percebesse, pois não era de expor aos outros seus problemas. Chorava horrores ao ouvir músicas vindas de um parque de diversão, perto de sua casa. Por falta de tratamento precoce, desenvolvera um quadro psicótico grave.

Como se deu sua recuperação, tendo em vista a gravidade de seu caso? Sua vida não melhorou quando ela saiu do hospital. Muito pelo contrário. Sua sogra passou a desprezá-la ainda mais, chegando ao ponto de aconselhar seu filho a separar-se dela por diversas vezes. Seus cunhados intrometiam-se mais e mais em seu casamento, e ela continuava, cada dia mais, dependente de seu marido para tomar decisões.

Mas havia algo em Marta que fazia dela uma pessoa forte, capaz de resistir a toda adversidade em sua vida: sua fé inabalável em Deus. Frequentava mais e mais a igreja. Ajudava nas leituras, no canto. Ia aos cursos ministrados na casa paroquial, aprendendo muitas coisas sobre alimentação alternativa e plantas medicinais. Na igreja, conquistou verdadeiras amizades. Já não se sentia mais tão sozinha. Ocupava-se também de boas leituras e voltou a estudar, vindo a concluir o ensino médio, que havia abandonado antes do casamento. Passou por muitos revezes em sua vida, chegando inclusive a separar-se do marido anos depois. Mas nunca mais perdeu a sanidade mental. Deus era seu leme; não ficara nunca mais sem direção.

Lucinda (nome fictício) havia passado por um trauma quando ainda era muito pequena: ficou uns tempos longe da mãe, por motivos para ela até hoje não revelados. Esse fato parece ter lhe deixado marcas em sua existência, tornando-a uma pessoa exageradamente sensível. Detestava despedidas e tinha grande dificuldade em renunciar às coisas e em afastar-se das pessoas de que gostava.

Quando tinha 18 anos, seu pai saiu de casa e foi morar com outra mulher. Lucinda adoeceu, tamanha foi sua tristeza. Seu pai era motivo de grande orgulho para ela. Era um homem respeitado em toda a cidade. Era seu amigo, seu companheiro, seu confidente. Foram anos tentando superar essa perda.

Transferiu todo o seu amor para a mãe, que passou a ser sua grande companheira. Nesse tempo também começou a namorar com aquele que viria a ser seu esposo. Agarrou-se a ele com unhas e dentes, passando a solicitá-lo para tudo. Como estudavam juntos, não fazia mais nada sem sua companhia. Ele, por sua vez, cultivava a imagem do bom moço, que não saía sem ela, não ia a farras; extremamente fiel.

Casaram-se, após um longo período de namoro, e tiveram três filhos. Ela, sem se dar conta, passou a depender dele, demasiadamente, como se ele fosse seu pai, até para saber o que fazer com seu salário. Assim, ele movimentou sua conta bancária sem nenhuma cerimônia. Passou a sair com os amigos e a deixá-la sozinha em casa. Aos domingos, dedicava-se ao futebol, afastando-se mais e mais dela. Passou a traí-la e a maltratá-la com agressões verbais, após se encher de bebida. Essa situação se arrastou, ano após ano, com muitas brigas e separações.

Ao concluir seu curso superior, passou a assumir responsabilidades profissionais, das quais não gostava. Para ela, ir ao trabalho era um grande tormento. Lá ouvia os lamentos das pessoas, precisando desesperadamente de alguém que a ouvisse. Todos os dias pensava em abandonar seu emprego, mas não podia, pois de seu salário dependia o sustento da casa.

Desde que terminara seu curso, passou a ter medo da vida profissional, pois a realidade é bem diferente daquilo que se aprende nos livros e na sala de aula; o mercado de trabalho é cada dia mais exigente e não perdoa falhas. Aliás errar era algo que não estava em seus planos. Não suportava a ideia de que poderia fazer algo errado e, com isso, prejudicar alguém. Preferia assumir funções menos exigentes, o que a deixava profundamente infeliz. Era um paradoxo: procurava se eximir de responsabilidades, pois achava-se incapaz; ao mesmo tempo, queria ser reconhecida, respeitada em seu meio.

Adorava quando a consideravam boa esposa, boa mãe, boa filha, boa amiga, mas, achava-se pouco capacitada, apesar de outras pessoas a elogiarem com frequência. Tinha sentimentos contraditórios em relação a si mesma: em um instante, achava-se muito inteligente, em outro, achava-se medíocre. Isso se dava em relação à família: ora achava-se excelente mãe e esposa, ora julgava-se péssima.

Lucinda descobriu, aos poucos, que tinha uma personalidade frágil, carente de afeto e aceitação. Sentia-se pessimista, egocêntrica, triste, com grande senso de responsabilidade, exagerado sentimento de culpa, impotente em não conseguir largar o marido, que a traía, nem o emprego que detestava. Teve várias crises depressivas, até que, finalmente, resolveu fazer um tratamento mais prolongado, associando remédios e psicoterapia. Até a última vez em que a vi, estava melhorando e me pareceu que está conseguindo resolver, pouco a pouco, seus conflitos no casamento e no trabalho.

Eu mesma já tinha experimentado, pelo menos, quatro episódios em minha vida, nos quais me reconheci deprimida. Em dois deles, recorri a tratamentos com profissionais habilitados e, em outros dois, automediquei-me. Mas tais tratamentos foram por períodos curtos, talvez, por isso, tive recaídas, além de estar cronicamente exposta a situações de estresse, que também favoreceram o ressurgimento da doença.

Em 2016, deparei-me com sucessivos problemas pessoais e profissionais. Para coroar minha situação de estresse, minha mãe passou a ter contínuos problemas de saúde, em decorrência da metástase de um câncer de mama. No início teve dores na coluna, que foram confundidas pelos especialistas que procuramos com artrose e hérnia de disco; pois já tinha esses diagnósticos e os exames que fazia não eram conclusivos. Posteriormente, já com o diagnóstico sombrio de metástase óssea, deixou de andar. Por ter outros problemas de saúde, começou a ter infecções urinárias sucessivas e, como não bebia líquidos suficientes, desidratou e precisou ser internada. A partir daí, foi uma sucessão de complicações, de transfusões de sangue e de novas internações.

No decorrer desse processo, fui adoecendo. Já não dormia direito, acordava sempre esgotada e triste. Dividia-me entre me preparar para o pior e manter viva a esperança de um milagre. Não desistia de sua cura, apesar de todas as evidências médicas desfavoráveis. Às vezes, ficava exausta fisicamente, por levá-la ao banheiro várias vezes ao dia, para dar-lhe banho, pois durante um mês inteiro tivera diarreia. Às vezes, a exaustão era psíquica, por experimentar um sofrimento extremo em ver uma pessoa a quem tanto amava se acabar pouco a pouco.

Quatro meses após o retorno de sua doença, não conseguia mais trabalhar direito e percebi que minha concentração e memória estavam sendo afetadas. Reiniciei um tratamento com antidepressivos e procurei ajuda de outra médica: uma psiquiatra. Afastei-me do trabalho para cuidar de minha mãe e de mim mesma. Interessante que uma das ordens médicas, que me deram, era eu me afastar do "problema"; ou seja, da doença de minha mãe. Recomendação bem complicada de cumprir, pois ela morava comigo; e eu, sendo médica, deveria acompanhá-la em procedimentos, exames e internamentos.

Passei, então, a solicitar que meus irmãos participassem mais do tratamento dela, permitindo-me sair um pouco de casa e me ausentar do hospital, quando ela estava internada. E pude perceber, em alguns membros de minha família, que nem todos compreendiam esse processo. Enfrentei julgamentos muito duros, sendo criticada por não estar sempre presente e por contratar pessoas para ajudar a cuidar dela. Quando ela nos deixou, eu estava fazendo uso de três comprimidos, ao dia, para depressão e psicoterapia regularmente; o que, para algumas pessoas, demonstrava quão fraca eu era. Foi, sem dúvida alguma, a época mais difícil de minha vida.

Tinha dias em que eu não fazia nada; só queria dormir e ficar em casa. Até a leitura, que era meu grande *hobbie*, havia perdido seu charme. Tudo tinha gosto de morte e tudo a minha volta lembrava-a: a lua, o mar, o céu. Afinal, ela era uma admiradora exímia da natureza e me ensinara a gostar de tudo isso. Se ia à igreja, as músicas me lembravam dela, assim como as orações, os santos, afinal foi com ela que aprendi a amar tudo isso.

Houve momentos em que me voltei contra Deus, dizendo o que todos dizem ao passar por situação semelhante: por que com ela? Por que comigo? Achava-me injustiçada e profundamente infeliz. É incrível como tudo o que nos cerca parece perder o valor; até mesmo o amor daqueles que nos amam. A depressão é arrasadora e apenas quem a experimentou sabe, com propriedade, falar sobre ela.

Mas agora posso perceber que, até mesmo essa cruel senhora (a depressão), tem sua serventia. Como diz Solomon (2010), a doença nos retira do ambiente que nos agride externamente, que, muitas vezes, é o local de trabalho. Também nos livra de pessoas indesejáveis que nos irritam, pois nos vemos forçados a nos recolher, a ficar em casa, a evitar falar com pessoas das quais não gostamos e que nos fazem mal.

O tratamento é longo e não depende somente dos remédios nem dos terapeutas. Depende principalmente de nós mesmos, de querermos ficar curados, de buscarmos ajuda e de, sobretudo, conservarmos a fé. A família tem um papel fundamental nesse processo. A ela cabe apoiar, ficar junto, ouvir, consolar, animar, não julgar. Aconselho a todos que enfrentam esse problema que não sofram sozinhos. Procurem o mais rápido possível um psiquiatra, um psicólogo e não façam tratamentos relâmpagos, pois não se resolvem os problemas acumulados de uma vida em poucos meses. As pessoas que se veem acometidas por esse mal não devem se encabular, sentir-se inferiores a ninguém por estarem doentes.

São milhões de pessoas deprimidas no mundo, e até 2020, a depressão será o segundo maior problema de saúde pública no mundo, de acordo com a OMS. Não existe, até o momento, imunidade para ela; então qualquer um poderá ter em alguma época de sua vida um quadro depressivo, passível inclusive de repetições, pois somos seres sensíveis aos acontecimentos e vulneráveis às mudanças no decorrer da vida.

Por que seres tão evoluídos quanto os humanos são passíveis de adoecer mentalmente? Solomon (2010) diz que a vida moderna abriu para o ser humano um leque muito amplo de possibilidades nos relacionamentos, nas profissões, nos deslocamentos. E, ao contrário do que se pensa, isso pode ser danoso para nosso cérebro, pois nunca temos certeza de que fizemos as melhores escolhas. Quando nos deparamos com frustrações nesses campos, adoecemos. O deprimido, afirma ele, é alguém sempre muito persistente em tentar seguir suas convicções e lutar por atingir seus objetivos, mesmo quando estes são inviáveis; daí seu estresse crônico e sua exaustão física e mental, até que sucumba à depressão. Essa pode ser uma chance de desistir do que é impossível e tentar uma nova vida, um novo rumo, uma nova direção.

Como lidar com a depressão?

O primeiro passo é **aceitar a doença**; depois, deve-se buscar ajuda de profissionais competentes para tratá-la. É importante ter em mente que a cura, por vezes, não significa livrar-se totalmente da doença, mas aprender a lidar melhor com ela (GRÜN, 2014c). Quem disse que é fácil reconhecer-se doente? As pessoas não gostam de admitir que estão diabéticas ou hipertensas. Mas, com certeza, o estigma de uma doença mental é muito maior. Eu mesma relutei em me afastar do trabalho por esse motivo, em deixar que soubessem que estava doente. Não foi uma experiência agradável; tive de ouvir expressões que denotavam pena, como se eu estivesse à beira da morte.

Esse autor diz ainda que o doente deve **lutar contra o isolamento** a que ele mesmo se impõe por julgar que não está sendo reconhecido da maneira como gostaria pelas outras pessoas. Ele deve aceitar a ajuda do terapeuta, aproximando-se dele. Deve procurar aceitar a si mesmo com a doença, para, nessa situação, tolerar a presença das outras pessoas.

A depressão sempre tem algo a dizer ao deprimido; seja em relação a seu trabalho ou em relação a seus afetos; ou ainda sobre a forma como o indivíduo está conduzindo a própria vida. Por traz da doença manifesta, há, muitas vezes, um relacionamento de dependência, gerando perda da confiança em si mesmo. Há, por vezes, uma necessidade de controlar o ser amado, por meio da fragilidade daquele que está doente, sempre solicitando atenção e reconhecimento. Sem ter consciência de estar alimentando a dependência do outro e contribuindo para a manutenção do estado depressivo, o ser amado sempre supre as necessidades do(a) parceiro(a), tomando decisões em seu lugar, resolvendo seus problemas no dia a dia. A pessoa que toma as decisões pelo deprimido também pode ser o pai ou a mãe (CHAVE-JONES, 1996).

O indivíduo que sofre de depressão deve **se questionar**:

- o que estou deixando de ver em minha vida?
- De que devo abrir mão?
- Será que não sou perfeccionista demais?
- Onde me sobrecarreguei?
- Não estou exagerando em querer ser bem visto sempre?
- O que essa depressão quer me dizer afinal?
- Estou reprimindo alguma culpa?
- Que parte de meu corpo se manifesta quando estou deprimido? Que sintomas físicos observo? (GRÜN, 2014e).

Feito isso, o deprimido deve **procurar se aceitar como é**; aceitar também a presença dos outros, sem ficar se desculpando por estar doente. Mesmo sem vontade de levantar-se, o indivíduo deve dar o primeiro passo para fora da cama todas as manhãs, optando pela vida (GRÜN, 2014e). Vale o pensamento bíblico:

> Portanto, não se preocupem com o amanhã, pois o amanhã trará suas próprias preocupações. Basta a cada dia seu próprio mal (Mt 6,34).

Outra coisa fundamental, na busca da cura da depressão, é **perdoar-se a si mesmo**. É muito comum que a pessoa acometida de uma depressão se sinta culpada de tudo o que acontece de ruim a sua volta. Ficar remoendo sentimento de culpa só piora o quadro. Por vezes, o ritual da confissão com o padre poderá ser útil, auxiliando nesse processo de libertação (GRÜN, 2014e).

O referido autor afirma ainda que é importante também **não se obrigar a estar sempre rodeado de gente**, contra a própria vontade. A depressão é um convite ao silêncio; mas não à inércia. Procurar o contato com a natureza, deixar-se aquecer pelo calor do sol, exercitar-se e respirar fundo são medidas de enfrentamento da doença. O doente deve erguer os olhos para Deus, para os outros que estão a sua volta e para dentro de si mesmo, dando início a seu processo de cura.

O indivíduo acometido de uma depressão deve **dialogar** com outras pessoas, expondo seu ponto de vista acerca da situação que o aflige, para, dessa forma, modificar o enfoque de sua própria vida (GRÜN, 2014e). A **música** é uma alternativa no tratamento da depressão, pois espanta o aborrecimento e acalenta o coração. A **observação da natureza** é, sem sombra de dúvida, uma fonte importante de energia interior, da qual o ser humano deve lançar mão sempre (GRÜN, 2007).

Uma medida importante na reestruturação da vida do indivíduo com depressão é tentar **restabelecer sua força vital, por meio dos verdadeiros valores,** que conduzem ao bem representado por princípios fundamentais, que funcionam como âncoras da alma. Estas impedem que a pessoa navegue sem rumo em um mar revolto; isso por que, quando se perde a referência de certo e errado, corre-se o risco de cair em um relativismo moral e ético, que não preenche a existência, mas, ao contrário, só produz frustração (MANZOTTI, 2015).

Esse autor cita os dez mandamentos dados por Deus a Moisés como sendo os princípios fundamentais, capazes de nortear a vida humana. Ele os descreve um a um, demonstrando sua importância para a vida em sociedade, para o fortalecimento do corpo e da alma. Quando não se vive de acordo com os princípios éticos, que aqui estão relacionados com o Decálogo, desvia-se daquilo que realmente leva à felicidade plena: a verdade. Jesus chamava a atenção das pessoas para a importância de buscar sempre a verdade.

Canova (1988) enfatiza a importância de se fazer o que gosta, pois muitos deprimidos se curam ao deixar de trabalhar em funções ou locais por eles indesejados; e a de não permanecer na cama sem nada fazer. Os períodos de descanso devem ser limitados por outros de atividade profissional ou de lazer. A inércia completa ativa os pensamentos pessimistas, que devem ser evitados ao máximo pelos doentes; da mesma forma, o abuso do álcool, o uso do tabaco ou de drogas. Ao contrário, é de grande auxílio, na prevenção desse mal, uma boa alimentação e a prática de exercícios físicos regulares.

Manzotti (2015) relaciona algumas ferramentas auxiliares no processo de cura da doença depressiva, a saber:

• *Procurar estreitar o convívio com a família*

As famílias que norteiam sua convivência no amor são uma verdadeira escola de generosidade, solidariedade e união, sendo de grande auxílio no processo de recuperação de uma depressão. Promove a participação de seus membros na comunidade, funcionando como um só corpo, constituindo um verdadeiro núcleo de comunhão. Para atingir esse fim, a casa deve ser um lar, onde as pessoas dialogam, encontram-se, partilham alegrias, sofrimentos, conflitos e conquistas. Deve ser um local de perdão e ajuda mútua. Os familiares do indivíduo que se vê acometido por uma depressão não devem forçá-lo a nada, dizendo-lhe que deve sair da cama, passear, que depende da vontade dele curar-se. Não é tão simples quanto parece; não se resume ao querer reagir. Os familiares devem apoiar, estar junto, compreender sem julgar ou criticar.

• *Exercer suas atividades laborativas com amor*

O trabalho ocupa muito tempo de nossas vida sendo grande sua importância sobre nosso bem-estar. Procurar desempenhar bem suas funções é uma maneira de tornar a rotina laboral mais suave. Os problemas de relacionamento, que porventura estejam acontecendo no ambiente, devem ser entregues a Deus em oração, pedindo-lhe proteção e providência.

O trabalho dignifica o homem, pois serve para sua sobrevivência e o faz sentir-se útil. No entanto, para melhor desempenhá-lo, o corpo deverá estar saudável e descansado da labuta anterior. É salutar deixar os problemas de trabalho fora de casa ao regressar para ela. Igualmente importante é orar no início e no final de um dia de trabalho, a fim de pedir proteção contra as possíveis investidas invejosas de alguns, bem como as maledicências que, porventura, possam surgir. Os problemas não resolvidos devem ser entregues nas mãos do Senhor.

Quando o indivíduo se sente realizado com seu trabalho, ao final do dia, o cansaço é gratificante. Mas, quando ele acha que fracassou com a atividade que desempenha, sente-se exaurido, insatisfeito, triste (GRÜN, 2007).

- *Desfrutar da espiritualidade*

Procurar trilhar o caminho das virtudes auxilia no processo de transformação interior; o que, por sua vez, provoca mudanças na maneira de relacionar-se com o mundo a nossa volta. No processo de superação do sofrimento, as virtudes impulsionam o ser humano a vencer suas dificuldades e inseguranças de forma madura. Quando, ao contrário disso, o indivíduo cede a suas paixões e seus vícios, passa a viver em busca de prazeres momentâneos, de modo desenfreado, trazendo como consequências: a frustração, o descontentamento e, provavelmente, a depressão.

- *Ter momentos de lazer*

Desfrutar momentos de alegria, de forma salutar, ajuda a superar a dor dos momentos difíceis. O descanso durante o trabalho também é importante, assim como fazer as refeições com tranquilidade. O exercício físico pode ser também fonte de satisfação para o corpo e para a alma, auxiliando bastante no tratamento da depressão.

• *Ter em mente novos projetos a serem realizados*

Todo ser humano deve ter metas a cumprir, sonhos para inspirar sua existência, para alavancar seus dias, dando-lhe motivo para viver. Deus nos revela os caminhos por onde devemos seguir, desde que estejamos dispostos a escutá-lo. As amizades escolhidas podem ser de grande valia na concretização dessas metas, quando nos influenciam para o bem. Do contrário, quando procuramos pessoas que não vivem de acordo com os ensinamentos do Evangelho, podemos nos desvirtuar e nos desviar do caminho que Deus trilhou para nós.

• *Conservar a fé apesar das dificuldades*

A pessoa de fé não é aquela que não cai, não fica triste. Mas aquela que, após as quedas, levanta-se e continua a caminhada. O Espírito Santo é a força da graça, que liberta e cura não somente o homem, mas toda a humanidade.

Lembrando que a fé pode ser representada pela confiança de que Deus abençoa o que fazemos; abençoa nosso trabalho, trazendo tranquilidade para nosso estado de vida. Por meio da fé, sentimos segurança em nossas decisões, pois entregamo-nos totalmente a Deus (GRÜN, 2015b).

• *Conservar a esperança*

A virtude cristã, que combate o desânimo e o medo, é a esperança. Com ela renovamos nossa coragem, reerguemo-nos e partimos para os desafios, buscando uma vida bem-sucedida. A esperança põe o ser humano em contato com sua alma, com seu "eu" verdadeiro, impulsionando-o para voos mais elevados, desprendendo-o das amarras do medo da vida. É ela que nos coloca à espera de uma cura impossível, de um milagre, pois, pela cruz, chegou-se à ressurreição; mesmo nas trevas, enxerga-se uma luz (GRÜN, 2015b).

Depressão e luto

Luto e depressão não são a mesma coisa, mas a negação do primeiro poderá desencadear a segunda. Quando a dor pela perda é muito forte, a ponto de não ser aceita, o indivíduo se recolhe em um estado depressivo. Tal estado surge como uma capa de proteção sobre a pessoa, paralisando-a, poupando-a. Isso tem um preço e deverá ser trabalhado em sessões de terapia.

A depressão sempre tem algo a ensinar à pessoa que dela está acometida. Ela mostra as coisas realmente essenciais na vida. Mostra uma necessidade de repouso, de recolhimento. Quando o indivíduo depressivo se reconcilia com tal doença, passa a experimentar paz, tranquilidade, uma companheira que o leva a encontrar Deus (GRÜN, 2011a).

O luto é um processo doloroso, mas que precisa ser vivenciado em todas as suas fases, para finalmente ser superado. Nele são comuns: tristeza, raiva, dor e impotência. É necessário botar para fora esses sentimentos, oralmente ou por escrito. Não se deve ignorá-los, pois aparecerão no futuro com força total, causando maiores estragos. Há dias em que tudo está bem; temos força para encarar o dia a dia, parecendo que superamos toda a dor e tristeza. Mas, de repente, vem-nos uma lembrança do passado, e tudo retorna nos levando novamente ao sofrimento; a única saída então é chorar. E assim acontecerá em vários momentos no decorrer de um ano, talvez dois, até que tudo seja finalmente consumado (GRÜN, 2007).

Quando perdemos um ente querido, sobrevém-nos, algumas vezes, uma sensação de estranheza, de incredulidade. Simplesmente, não acreditamos que aquela pessoa se foi, não vai mais voltar, não está mais entre nós. Vemos as fotos e ficamos a pensar como é possível aquele ser tão querido não mais voltar; não mais poder ouvir sua voz, dar-lhe um abraço, sentir seu cheiro. Esforçamo-nos para mantê-lo vivo em nossas lembranças; recordamos suas roupas, seu jeito, seu perfume favorito. Lembramos o que ele diria em determinada situação, em certas ocasiões, em certas festividades: Natal, Ano Novo, um almoço, em que a família está reunida. A pessoa amada torna-se simplesmente inesquecível; sentimos falta até de seus defeitos, que antes nos causavam irritação e que, agora, seriam bem-vindos se ela voltasse.

Desde seu nascimento, o ser humano passa por vários processos de perda, a exemplo da saída do útero materno, onde o bebê é forçado a se separar da mãe. A partir disso, serão vários os momentos em que terá de ver-se longe dela; sobretudo com as mulheres conquistando, cada vez mais, o mercado de trabalho. A criança experimentará, ao longo de sua vida, vários instantes, que parecerão eternos para ela, em que se verá afastada da figura materna. Principalmente na primeira infância, se tais momentos de separação forem demasiadamente prolongados, como nos casos de internação hospitalar, em que não seja possível o contato, nos casos de abandono ou morte da mãe, poderão ser deflagrados efeitos irreversíveis sobre a saúde mental da criança (VIORST, 2005).

Essa autora chama atenção para o fato de que separações prolongadas, como as que foram citadas acima, podem gerar cicatrizes emocionais no cérebro com consequências irreversíveis. Isso por que é o elo mãe-filho que ensina o ser humano a amar, tornando-o mais completo. E, ao contrário do que possa parecer, uma ausência duradoura da figura materna não aumenta o amor do filho pela mãe, mas sim seu desespero, que poderá se manifestar sob a forma de raiva, revolta, agressividade.

Chave-Jones (1996) diz que o período mais importante na formação da personalidade de uma pessoa são os seus primeiros sete anos de vida; determinantes, portanto, para seu desenvolvimento emocional, mesmo quando ainda não sabe expressar suas necessidades. O indivíduo já é capaz de perceber se é amado pelo simples toque dos braços que o seguram e pelo tom de voz de seus pais ou cuidadores.

A criança que passa por esse tipo de experiência poderá desenvolver três diferentes formas de defesa psíquica: indiferença emotiva, ou seja, se não amar as pessoas, não sofrerei por sua perda; o forte desejo de tomar conta de outros que sofrem, estabelecendo forte ligação com eles; e finalmente, a autonomia prematura, em que o indivíduo procura não depender dos outros para nada (VIORST, 2005).

Depressão: o lado obscuro da alma

Todo ser humano tem um lado que não costuma ser "mostrado" para os outros, por ser menos gentil, menos simpático, mais agressivo. As pessoas que sofrem de depressão comumente sentem uma raiva contida de algo ou de alguém, a qual permanece sufocada em seu íntimo. Em alguns momentos, porém, experimentam verdadeiras explosões de ira contra aqueles que as cercam. Esse ódio contido, na maioria das vezes, volta-se contra o próprio deprimido, sob a forma de pessimismo, reclusão e, em último grau, sob a tentativa de tirar a própria vida (CHAVE-JONES, 1996).

Outro aspecto importante que a autora, anteriormente citada, chama atenção é quanto à dificuldade que tem o doente em admitir o problema perante os colegas de trabalho e a sociedade, pois sente-se culpado e, até mesmo, envergonhado por ter adoecido. Acha-se fracassado em ter de admitir que tem depressão. Teme que os outros pensem que está apenas fugindo de suas responsabilidades profissionais, que é um fraco. Sente-se tão cansado a cada dia, ao ter de levantar da cama para assumir suas atividades rotineiras! Tudo é tão pesado e difícil! Qualquer decisão a tomar é um sacrifício enorme para o deprimido. Ele passa a trabalhar lentamente, com pouco rendimento, irritando-se com facilidade. Esforça-se muito até que, finalmente, entra em colapso, fadiga extrema, exaustão.

Passa a ter dificuldade para concentrar-se, problemas de memória e vários outros de saúde, pois toda a sua energia está sendo gasta por suas emoções – tanto as alegrias, quanto as decepções –, que ficam, a cada dia, mais embotadas.

O deprimido passa a costurar, a seu redor, uma espécie de couraça de proteção contra o mundo exterior. Afinal, para que se alegrar com algo que é passageiro? Logo lhe vem o pensamento pessimista de que aquilo que conquistou lhe será tirado. Então, melhor não ter grandes expectativas com a vida, uma vez que nela só acontece coisa ruim. Alguns adquirem certa frieza para com as desgraças alheias; só assim o sofrimento de terceiros não o atinge. Pode parecer insensível, mas na verdade o indivíduo propenso à depressão possui uma sensibilidade aguçada, exagerada; maior do que a maior parte das pessoas com as quais convive. Sua agressividade ou indiferença, diante das situações, nada mais é do que um mecanismo de defesa.

Fontes escuras e claras para recarregar as energias perdidas no processo de adoecimento

As pessoas que tentam atender a todas as expectativas dos outros e de si mesmo se sobrecarregam e, portanto, segundo Grün (2014e), buscam abastecer-se de fontes turvas de energia. Esse mesmo autor menciona outras fontes ineficazes de recarga energética: o perfeccionismo, as emoções negativas (medo, ambição desmedida), vício em trabalho, desejo exagerado de ser melhor do que os outros, compulsão por controlar todas as situações. É, absolutamente, imprescindível viver com coerência, recuperar a autoconfiança diante da vida, manter a esperança de transformar as situações do cotidiano, convertendo o fracasso em sucesso.

Outro recurso pessoal a ser utilizado, como forma de reagir ao desgaste mental, é tentar encarar as mudanças, os desafios a serem superados, que ocorrem no decorrer da vida, como processo natural, que possibilita o crescimento do indivíduo. Deve-se ainda trabalhar a autoestima, de modo a desenvolver um "eu" estável, que não sucumbe às situações complicadas. Também é importante autoavaliar-se, mas não como forma de julgar-se, e sim como degrau a ser alcançado em busca da reestruturação da própria vida (GRÜN, 2007).

Todos esses recursos, de acordo com o autor supracitado, estão dentro de cada um ou podem ser desenvolvidos com o tempo. Podem estar escondidos por trás das feridas espirituais, provocadas pelo sofrimento psíquico, no decorrer da existência. O indivíduo pode desenterrá-los com ajuda de um terapeuta ou dirigente espiritual.

Igualmente importante, na superação de um quadro depressivo ou de esgotamento, são os recursos sociais, ou seja, as relações interpessoais. O sentimento de pertença a uma comunidade é de grande valia para a chamada salutogênese, ou seja, para gerar saúde. Outros recursos sociais dignos de serem mencionados, segundo Grün (2007): condições políticas favoráveis, boas condições de moradia, boa estrutura familiar, bom relacionamento com os vizinhos, acesso a serviços de saúde e de educação, ambiente de trabalho favorável.

Não vou me deter em explicar todos esses fatores, mas acho importante chamar atenção para a importância de se ter, em uma sociedade, condições políticas favoráveis, pois, em situações em que os direitos civis do cidadão não são respeitados e em situações de guerra, a integridade do ser humano não é valorizada, ficando comprometidos todos os demais recursos sociais. A corrupção na política também irá comprometer todo o processo de prestação de serviços nas áreas de saúde, educação, habitação, transporte e segurança pública.

Grün (2007) diz que mais importante do que ficar remexendo nas antigas feridas é buscar o acesso às fontes internas capazes de nos reabastecer, de nos fortalecer, devolvendo-nos a vontade de viver.

A importância da fé no combate à depressão

No mundo científico de hoje, convencionou-se dividir o ser humano em vários pedaços para serem estudados e tratados. Dessa forma, "o pedaço" que der defeito vai ser "curado". O problema é que esta abordagem fracionada do indivíduo, muitas vezes, não permite descobrir as verdadeiras causas da doença e, portanto, o problema não é solucionado em sua totalidade (MARTINS, 2009).

É comum o deprimido expressar ideias pessimistas também em relação a Deus, achando-se abandonado por Ele. Enche-se de dúvidas em relação a sua fé religiosa, demonstrando uma verdadeira cegueira e surdez emocional. É como se estivesse envolto por uma cortina nebulosa, que torna a presença de Deus imperceptível a seus sentidos. Por vezes, o sentimento de culpa é tão grande, que vem ao pensamento que o sofrimento atual seria provocado por um pecado de outrora, esquecendo-se da promessa divina de fidelidade e amor incondicionais, independentemente de ser bom ou mau (CHAVE-JONES, 1996).

Grün (2014e) lembra que alguns deprimidos não conseguem mais rezar, pois, em suas dificuldades, oraram a Deus e não foram atendidos. Eles passam a questionar sua própria fé. Mas Jesus ensinava que devemos ser persistentes na oração e colocar nas mãos de Deus nosso destino: "Seja feita a Vossa vontade". Uma forma de perseverar na fé é meditar no sofrimento de Cristo na cruz, experimentando sua presença, mesmo em estado de profunda tristeza. Jesus também sofreu; logo qualquer pessoa pode sofrer. Não deve, portanto, autocondenar-se por isso.

Outros acham que depressão é coisa de quem não tem fé ou não frequentam igrejas; já ouvi diversas vezes esse juízo equivocado sobre aqueles que padecem de depressão. Chave-Jones (1996) lembra que os cristãos também passam por grandes problemas na vida, estando, por isso, também sujeitos a essa doença. Isso me faz lembrar uma canção do padre Zezinho (**Eu tenho alguém por mim**), que talvez expresse melhor o que representa Jesus Cristo na vida de quem sofre, que jamais perde a esperança de se libertar, seja de um problema, seja de uma doença, como a depressão:

> Sei muito e muito bem, que peso tem a cruz, mas sim, eu sei também,
> Que força tem Jesus! Conheço a humana dor. Sofrer eu já sofri.
> Mas graças a meu Deus eu nunca desisti.
> Eu nunca desisti de crer e de esperar
> Fiel permaneci. E sem desanimar, e vou até o fim mantendo a mesma fé
> Eu tenho alguém por mim Jesus de Nazaré

Concluindo

Cada ser humano é único, não havendo outro igual nem mesmo entre gêmeos idênticos criados no mesmo ambiente. Além da carga genética ser diferente, há uma forma peculiar de sentir e de sofrer influência do meio externo. Assim sendo, a maneira de reagir às intempéries da vida não é a mesma; o que explica um indivíduo que se deprime diante de um fator estressante, como a morte de alguém que se ama, enquanto que outro não se deixa abater por muito tempo (CHAVE-JONES, 1996).

Apesar da presença do mal entre os homens, ele não é soberano. Perseverando na fé em Cristo, deixando o Espírito Santo agir em nós, venceremos todos os obstáculos (GRÜN, 2015b; GRÜN 2015c). Manzotti (2015) chama atenção para algo muito importante: mesmo com a oração mais fervorosa, deve-se ter em mente que nem sempre se obtém a cura da depressão ou de qualquer outra doença. Lembremo-nos de que o sofrimento faz parte de nossa trajetória e que até mesmo Jesus, o filho de Deus, morreu em uma cruz.

No entanto, isso não é razão de desânimo, de desesperança, e sim de consolo. Não se deve perder a fé diante das dificuldades e provações. Apenas lembrar que, se a cura não vem, não significa que nossa fé é inferior à dos demais ou que Deus não nos ama. Existe uma grande diferença entre enfrentar uma doença conservando a fé e perdendo a fé. No último caso, sobressai-se o desespero, e as defesas orgânicas enfraquecem, favorecendo ainda mais o quadro patológico. Diz a Palavra: "Não vos inquieteis com nada! Em todas as circunstâncias, apresentai a Deus vossas preocupações, mediante a oração, as súplicas e a ação de graças" (Fl 4,6).

A depressão pode ser também chamada de ferida da alma, e o Espírito Santo é a força curadora desse mal. Mas, para que isso aconteça, o indivíduo deve permitir a ação de Deus, que o transporta para fora dele mesmo, indo ao encontro do outro (MANZOTTI, 2015).

São muitas as definições para a depressão, mas acredito que as melhores são dadas por quem experimentou a doença na própria carne. Assim pude ouvir de uma amiga, antes de ela suicidar-se, que sentia uma enorme angústia no peito e que sua vida não tinha sentido. De outra, ouvi que sua vida era como um filme em preto e branco, sem cor alguma. Eu vou mais além, digo por experiência própria: a depressão é uma doença que suga nossas forças, abate o espírito e o corpo, deixando-nos sensíveis demais ao sofrimento, ao ponto de nos tornarmos insensíveis a tudo a nosso redor, retirando o sabor, cheiro e beleza da vida. Ela vai chegando, aos poucos, de forma silenciosa, enquanto lutamos para não ceder a ela; até que nos derruba, deixa-nos fatigados, sem força, sem vontade alguma. É tão maléfica, que mina, até mesmo, nossa fé em Deus, em nós mesmos e no próximo, pois tudo o que vemos a nossa frente é a desesperança.

IV

Tempo: obstáculo ou aliado à felicidade?

"Para tudo há um tempo, para cada coisa há um momento debaixo dos céus: tempo para nascer e tempo para morrer; tempo para plantar e tempo para arrancar o que foi plantado."

(Ecl 3,1-2)

Introdução

Dou início a este capítulo com uma pergunta: Para você, o que é o tempo? Não há uma definição consensual para essa palavra, pois os conceitos são inúmeros de acordo com a percepção pessoal de cada um. Mas o fato é que o tempo determina todos os aspectos da vida moderna; para alguns argumenta-se que tempo é dinheiro, para outros é uma sequência de acontecimentos presentes que se ligam ao futuro; é limitado, inalienável, porém mensurável, divisível; distribuído de forma igualitária para todos. O que é diferente entre as pessoas é a forma como se administra esse mesmo tempo. Quando se tem a morte como algo mais próximo de acontecer, a existência ganha um novo sentido; tudo passa a ter um valor diferente, pois o tempo torna-se notadamente escasso (GRÜN; ASSLÄNDER, 2013).

O tempo, segundo Santo Agostinho (1981), não pode medir a eternidade, pois ela não passa; é imóvel, determinando o passado e o futuro, não sendo nem uma coisa, nem outra. O tempo só passou a existir porque Deus assim o determinou. Mas somente Ele não passa, pois seus anos são fixos, ao contrário dos nossos. Para Ele vários anos são como um dia, que por sua vez é um eterno hoje. Segundo o autor, Deus existe antes do tempo, que por Ele fora criado.

Os seres humanos dividem o tempo em passado, presente e futuro, como se fossem totalmente separáveis. Na verdade, os acontecimentos do passado ainda permanecem em nossa mente e, sempre que os recordamos, damos a eles novas significações. O futuro ainda não existe, mas há uma expectativa, preocupação, suposição ou esperança pelos acontecimentos vindouros. A realidade é apenas o agora; esse instante atemporal entre o que aconteceu e o que virá no futuro (GRÜN; ASSLÄNDER, 2013).

Santo Agostinho (1981) assevera quão difícil é estabelecer um limite entre esses três tempos, tendo em vista que, neste momento (hoje), o passado já não existe e o futuro também não, pois ainda não chegou. De que modo então se pode medir o tempo? O autor vai dizer que isso só será possível mediante a percepção humana, que julga o momento longo ou curto. O momento passado só existe na memória humana mediante de palavras e imagens gravadas no espírito. As coisas futuras, no entanto, podem ser prognosticadas por meio do que vemos no presente; de modo algum são vistas realmente, já que ainda não existem.

　Grün e Assländer (2013) falam de uma concepção mitológica do tempo, em que ele recebe duas denominações: *Cronos e Kairós*. De acordo com a primeira, o tempo é concebido como data, prazo, sendo fonte de medo e estresse. Na segunda, o tempo é uma oportunidade a ser agarrada no momento certo. A vantagem do tempo *Cronos* é a regulamentação da natureza, dividindo os dias em horas e o ano em períodos diferentes. Em todas as culturas do mundo o tempo é medido, servindo de base para organizar as ações humanas. O tempo *Kairós* representa a hora certa para fazer as coisas. Assim, quando chega o *Kairós*, não podemos deixá-lo passar. Devemos ter em mente que cada momento na existência humana é único; não volta jamais a se repetir.

　O tempo *Cronos* está intrinsicamente relacionado com o desenvolvimento de estresse, uma vez que as tarefas desenvolvidas no cotidiano são carregadas de cobranças por rapidez e eficiência. Na história da humanidade, foram vários os filósofos que refletiram sobre a temática do tempo, tais como Agostinho, Aristóteles, Hume, Kant e Eliade. Suas formas de ver o tempo serão mais bem comentadas posteriormente.

Uma reação mental e física a uma situação de adversidade pode desencadear uma série de recursos emergenciais do organismo; ou seja, a dificuldade desencadeia o estresse, podendo provocar aumento nos níveis pressóricos, além de uma maior tensão muscular, irritabilidade, ansiedade e depressão (BROWN, 1999).

A saúde física permanece ligada à capacidade de resistir às pressões externas e ao desgaste nervoso (BERTANI, 2006). As emoções podem influenciar diretamente a saúde do ser humano, principalmente quando ligadas aos sentimentos negativos, tais como tristeza, raiva, ansiedade, dentre outras (GOLEMAN, 1999). Apresentamos, ao final deste capítulo, algumas sugestões para tornar o tempo um aliado ao bem-estar humano.

A relativização do tempo

No decorrer da vida, o tempo assume diferentes aspectos de valorização, pois o percebemos de forma diferente. Na infância e juventude, é comum a sensação de que o dia demora a passar enquanto que, na fase adulta, ocorre o contrário. A diferença real não é a quantidade de tempo que se tem, mas a forma como o percebemos, pois, quando somos crianças, detemo-nos no agora, sem preocupações com o futuro, com o sustento da família. Quando alguém diz que não tem tempo suficiente, na verdade, em sua vida, está faltando algo essencial que, com certeza, não é o tempo. Para uma vida equilibrada, é fundamental que haja um processo de desaceleração; o executar as tarefas com mais atenção: comer, caminhar, falar. Somos criaturas dotadas de corpo, mente e espírito. Então, da mesma forma que alimentamos o corpo, devemos também reservar um período para cuidar da alma. O tempo da alma é o agora, e o corpo nem sempre está no mesmo instante que ela (GRÜN; ASSLÄNDER, 2013).

Talvez, por isso, Santo Agostinho (1981) tenha modificado, após suas análises do tempo, as terminologias de sua divisão, chamando de presente das coisas passadas; presente das coisas presentes e presente das coisas futuras.

Na última fase da vida, ou seja, após os 60 anos, as prioridades são outras, chegando a hora de abandonar projetos antigos, ambições e o momento de agradecer tudo o que se conquistou e de buscar a humildade, aceitando que o tempo de desejar, buscar o sucesso, talvez, já tenha passado. A sabedoria nessa fase da vida é ser feliz com o que se tem, com o que se é (GRÜN; ASSLÄNDER, 2013).

O tempo como fonte de estresse

O estresse na modernidade está diretamente relacionado com o mal uso do tempo; ou seja, como dividimos nosso dia em tarefas cada vez mais competitivas, dedicando menos horas para o lazer, para contemplar a natureza e para nos comunicarmos com Deus.

Estresse é a exaustão como reação a trauma, excesso de trabalho ou à atividade etc. (ROCHA, 2005; p. 304). Esse termo foi usado em 1936, pelo endocrinologista Hans Selye, para designar um processo patológico sindrômico produzido por agentes nocivos variados: a "síndrome geral de adaptação". Existem muitas formas de lidar com os estímulos estressantes, tais como: a meditação, as terapias do toque, a atividade física e a prática religiosa. Estresse é a maneira como o organismo reage a estímulos, bons ou maus, alterando seu equilíbrio. Foi definido por Selye (1984) de duas formas: o positivo, como eustress, e o negativo, como distress. No primeiro tipo estaria havendo apenas uma reação orgânica aos estímulos estressores sem ocasionar doenças; enquanto que, no segundo tipo, seriam desencadeados diversos malefícios.

Pessoas que pensam poder controlar tudo, realizando sozinhas todas as tarefas, atropelam o tempo de sua alma, tornando o corpo suscetível às doenças, como ansiedade e depressão (GRÜN; ASSLÄNDER, 2013).

Estratégias para reduzir ou neutralizar os efeitos do estresse sobre o corpo

Uma forma de lidar com o estresse é o *estabelecimento de rituais* no cotidiano. Eles constituem um tempo especial para a alma, que se afasta então das exigências do mundo. A oração da manhã pode ajudar a colocar ordem no dia, assim como os rituais de boa noite, antes de colocar as crianças na cama ajudam a afastar o medo (GRÜN; ASSLÄNDER, 2013).

Salzberg e Kabat-Zinn (1999) relatam vários aspectos do uso da meditação da mente alerta para redução do estresse. Essa técnica é simples, desprovida de contexto religioso, e consiste em manter uma atitude aberta em relação a tudo o que surgir na mente, enquanto os movimentos dela estiverem sendo observados.

Uma forma de lidar bem com o tempo é executar o trabalho dentro do ritmo individual que cada pessoa possui. A parte do dia em que deveríamos nos dedicar às tarefas mais importantes é a manhã, antes do meio-dia, uma vez que esse é o tempo do Espírito Santo. É bastante salutar estabelecer uma rotina diária, sabendo previamente o que será executado no decorrer do dia, mantendo períodos de pausa, inclusive durante o trabalho, para tomar um café ou, simplesmente, para respirar. Muitíssimo importantes para a saúde do corpo e da mente, são as paradas para o almoço, reservando um período posterior para o descanso e até para um cochilo (GRÜN; ASSLÄNDER, 2013).

Sem sombra de dúvida, de todas as pausas, a mais importante é a semanal, no domingo. Um dia biblicamente reservado ao descanso, à família, ao culto a Deus e que, hoje em dia, não está mais sendo respeitado pelas empresas. Esse dia deveria ser destinado às visitas aos parentes e amigos, ao lazer com os filhos. Uma ótima opção é dormir até mais tarde, tomar aquele café da manhã especial, ir a um restaurante, conversar, distrair-se. O sétimo dia da semana, em que, segundo o livro do Gênesis, Deus descansou de sua criação, representa a plenitude, a perfeição. Não deveria ser considerado um dia comum (GRÜN; ASSLÄNDER, 2013).

Os autores anteriormente citados chamam a atenção para a importância de se destinar um período do dia ou da semana para *organizar* o escritório, a escrivaninha, a mesa de trabalho. A organização exterior faz bem à alma e faz com que o trabalho flua mais satisfatoriamente. Igualmente importante é saber *dizer não às demandas exageradas*; quando se acumulam tarefas exageradamente, gera-se uma agressividade interior por sentir-se explorado. Outra medida salutar seria a de *evitar a prática do adiamento de decisões*, deixando tudo para ser feito depois; melhor seria justamente o contrário: iniciar o dia executando as tarefas mais desagradáveis, para com isso aliviar-se das pressões e cobranças.

Outra forma de lidar com o estresse é lançar mão das chamadas terapias do toque, a saber: a massagem, o toque terapêutico e o Reiki. A *massagem* favorece o relaxamento do corpo e da mente, auxiliando no tratamento de diversas patologias. Dolores Krieger desenvolveu, no fim dos anos 70, a técnica do *toque terapêutico*. Essa terapia consiste em restaurar o equilíbrio do campo energético do indivíduo que, de acordo com as concepções dessa cientista, estaria ausente, bloqueado ou em desarmonia, nos processos de adoecimento. O *Reiki* é outro tipo de terapia energética que se utiliza da imposição das mãos, visando ao equilíbrio corporal, mental e espiritual. Os praticantes dessa técnica, supostamente, canalizariam a energia universal para eles mesmos e para os outros, atuando nos pontos de desequilíbrio do corpo (BALESTIERI; DUARTE; CARONE, 2007).

Os *exercícios físicos*, principalmente aqueles realizados entre 16h e 18h, do tipo aeróbico, são ótimos para reduzir a tensão física e mental. Alguns pesquisadores afirmam que a atividade física promove a liberação das chamadas endorfinas no sangue circulante; o que ajudaria a diminuir os efeitos do estresse, como se o exercício "queimasse" a energia acumulada pelo corpo agitado (COOPER, 1982; OLIVEIRA, 1996 apud FIAMONCINI; FIAMONCINI, 2003).

Mas e quando não conseguimos controlar todos os acontecimentos, como a morte de um familiar, uma catástrofe ou, simplesmente, uma situação de desemprego? Se não assumirmos uma atitude de equilíbrio diante desses eventos estressores, o organismo sucumbirá, manifestando os mais variados sintomas. A *prática religiosa* é, para muitos, uma forma de atuar controlando o estresse.

Como então se daria isso? Muitos pesquisadores têm publicado trabalhos na área da neurofisiologia, demonstrando inclusive a existência de um "centro da fé", no sistema nervoso central. Estímulos sobre essa área liberariam substâncias atuantes sobre nosso sistema imunológico, combatendo as doenças (SAVIOLI, 2003).

Somos limitados, e nosso limite constitui-se em oportunidade para Deus, resultando desse encontro novas energias. Faz-se necessário acreditar no significado da vida, buscar o eterno e tentar descobrir o que somos. Afinal, no fim de um ciclo, articula-se o início de outro; de um período de sofrimento pode surgir uma renovação (MONTEIRO, 2007).

Dessa forma, a religiosidade/espiritualidade nos auxilia no controle do estresse, na medida em que nos ensina a tolerar o sofrimento e a entendê-lo como parte integrante e inevitável do ciclo vital de todo ser humano. O tempo é cíclico, a existência é cíclica; portanto nada é estático, o que faz a situação estressante ser limitada.

O tempo segundo os filósofos

No decorrer da história, já houve diversas definições para o tempo, conforme diferentes filósofos: Agostinho, Aristóteles, Kant, Hume e Eliade.

Para Agostinho, não se concebe a ideia de um tempo sem Deus, uma vez que nada existia sem Ele. Assim como não seria apropriado questionar o que Deus fazia antes de criar o céu e a terra, já que não havia tempo antes disso. Ele não concordava que o tempo fosse determinado pelo movimento dos corpos celestes, pois essa duração é determinada pelo observador. Apresenta como exemplo comprobatório de suas ideias a história de Josué, quando ele ordenou ao sol que parasse para favorecer o povo de Israel em uma batalha. O sol cessou seu movimento, mas o tempo seguiu (SANTO AGOSTINHO, 1981).

O tempo em Hume é formado de uma sucessão de eventos interligados, originando-se de constatações empíricas de uma relação de antes e depois. Para ele, a mente estabelece relações causais e temporais entre fatos com certa regularidade. Segundo o filósofo, o que dirige nossos julgamentos sobre questões de fatos são os costumes e os hábitos. Kant acreditava ser o tempo uma forma fundamental de apreensão de objetos, constituindo-se, em parte, indispensável da vida humana. Para ele o tempo seria condicionado a nossa alma, de forma homogênea, possuiria a mesma dimensão e ainda seria uma forma subjetiva, intuitiva do intelecto humano, existindo apenas para nosso espírito, como forma representativa da mente (CARNEIRO, 2004).

Para Aristóteles, o tempo não era apenas algum movimento, mas algo do movimento; seria o sentir, o dar-se conta do movimento. Estaria relacionado com algo da própria alma, ao perceber que o pensamento sofreu alguma mudança (PINTO, 2009).

Eliade (2010) faz colocações acerca do tempo para o homem religioso e para o não religioso. Para o primeiro, o tempo sagrado, o tempo das festas constituem-se em intervalos no tempo profano. Poderiam ser trazidos ao presente durante o período festivo. No entanto, para o homem não religioso, o tempo não teria roturas, nem mistérios, tendo um começo e um fim. O autor fala da criação do mundo, de como ela é imaginada no começo do Tempo, *in princípio*. O tempo cosmogônico é modelo para o tempo sagrado, em que os deuses se manifestavam. Dessa forma, o homem religioso reatualizaria a cosmogonia por vários motivos, desde assegurar uma boa colheita até auxiliar nos processos de cura do corpo e da alma. O regresso ao tempo de origem, nascendo de novo de maneira simbólica, teria fins terapêuticos, baseando-se na crença de que a vida poderia ser recriada por meio da repetição cosmogônica.

Uso do tempo a favor da saúde

Cada vez mais, a ciência vem apontando para a necessidade de um melhor direcionamento do tempo em nossa vida cotidiana. Lidar com o estresse faz parte da existência, é inevitável. Mas podemos fazê-lo, sem agredirmos nosso corpo e nossa mente, conforme iremos discutir agora no próximo tópico. Existem muitas formas de lidar com os estímulos estressantes; já as citamos anteriormente.

A busca da cura, por meio da religiosidade e da espiritualidade, tem sido empregada exaustivamente pela humanidade, no decorrer dos séculos, nas mais variadas culturas, das mais primitivas às mais avançadas. Mas, muitas vezes, esse recurso não é bem acolhido por todos os cientistas, a exemplo do que diz Rubem Alves (2005;

p.116): "Todas as ciências, sem exceção, são obrigadas a um vigoroso ateísmo metodológico: demônios e deuses não podem ser invocados para explicar coisa alguma. Tudo se passa, no jogo da ciência, como se Deus não existisse... Se é daí que partem os cientistas, como poderiam eles acreditar naqueles que invocam os deuses e têm a ingenuidade de orar?"

Conclusão

O homem traz consigo um desejo pelo infinito, por Deus, Tupá ou o que quer que seja; e as doenças ou seus sintomas revelam a falta de algo. Quando as forças anímicas estão comprometidas, aparece o estresse, a baixa na imunidade e inúmeros outros problemas. As características da sociedade atual ampliam as possibilidades do processo de adoecimento e desespero existencial (MONTEIRO, 2007). O homem, puramente não religioso, é, segundo Eliade (2010), muito raro; mas os traços dessa não religiosidade negam a transcendência, duvidando por vezes do sentido da existência. O homem moderno assume então o papel de único sujeito e agente da história.

O bom uso do tempo em nossa vida também tem implicações sobre nossa saúde, pois, como vimos em uma publicação anterior minha (PEREIRA, 2012), é a correria desenfreada do cotidiano que nos leva a ligar o piloto automático em nossas atitudes, sem nos concentrarmos no momento presente, tão precioso. E, por isso, então vem a irritabilidade, a fadiga, a insônia, o mau humor, o comprometimento da memória, a perda de interesse pelas coisas: o tão falado estresse da vida moderna. E o que dizer de parar para meditar, para orar? Nem pensar, de imediato vem a resposta em nossas mentes. Como consequência surgem a gastrite, a fibromialgia, as artrites, o enfarto e o câncer.

Sugiro aos leitores deste capítulo que busquem as práticas meditativas, massagens, terapias do toque, atividade física e a oração diária como formas de enfrentamento do estresse; também a contemplação da natureza, observando as flores, o céu, a lua, o mar. Tudo isso é maravilhoso. Procurar sentir a brisa na face, ouvir o canto dos pássaros, não fazer nada às vezes pode ser vital para ouvirmos a voz de Deus, pois é no silêncio que Ele se faz ouvir. O tempo, compositor de destinos, parece ser contínuo. Fiquemos com nossa mente alerta, concentrada no presente, pois o futuro é incerto, talvez nunca chegue, e o passado ficou para trás, como poeira ao vento (PEREIRA, 2012).

V

Busque seus sonhos e seja feliz

"Muito bem, servo bom e fiel. Foste fiel no pouco, sobre o muito te colocarei; entra no gozo do Senhor."

(Mt 25,21)

Introdução

Todos nós recebemos de Deus criador um ou mais dons, que devem ser utilizados durante nossa vida para ajudar a nossos semelhantes. Uns têm o dom da medicina, outros possuem facilidade de trabalhar com números, outros possuem talento para ensinar e assim por diante. Tudo é necessário para se manter o bom andamento da vida em sociedade. Precisamos uns dos outros, até nas tarefas mais simples, como varrer a rua. Experimentamos isso quando há uma greve dos garis, e o lixo se acumula nas calçadas; é um caos, aumentando os riscos de adquirir doenças transmitidas por ratos, por exemplo.

Não devemos nos orgulhar do dom recebido de Deus, pois nos foi dado gratuitamente para ser posto a serviço do bem comum. E, no final de nossa vida, teremos de prestar contas do que foi feito com o talento recebido. Para cada um de nós, em particular, Deus tem um plano, um sonho. É nossa obrigação nos esforçarmos para chegar o mais próximo possível da missão que nos foi confiada e, ao final de nossa existência, dizer como São Paulo:

"Combati o bom combate, completei a corrida, conservei a fé" (2Tm 4,7).

O que é um sonho de vida?

Sonho de vida é a forma de vida que Deus sonhou para cada ser humano. A cada um de nós Ele criou com um plano a ser desenvolvido durante esta vida; não necessariamente se referindo à profissão, mas também ao estado de vida a ser escolhido: matrimônio ou vida religiosa, mãe e pai de família, por exemplo. O ser humano só consegue ser feliz verdadeiramente quando põe em prática aquilo que o Criador imprimiu em sua alma como um selo identificador de sua ou suas vocações. Alguns não conseguem, por exemplo, casar-se e ficam infelizes porque estava, em seu íntimo, o grande desejo de constituir uma família; outros se tornam insatisfeitos, pois não estava em sua essência mais profunda o casamento; enquanto uns se ordenam padres, mas abandonam a vida sacerdotal por motivos diversos.

Grün (2011c) fala que, quando uma pessoa deseja saber se está vivendo de acordo com sua vocação ou seu verdadeiro sonho de vida, ela deve se perguntar com que brincadeiras costumava entreter-se na infância. O que a distraía durante horas a fio? Aí estará a resposta para seu questionamento.

Particularmente, já havia me questionado quanto a isso e recordei que, dentre as inúmeras brincadeiras, das quais me ocupava, estava a de brincar de médica; passava as tardes realizando cirurgias em minhas bonecas. Também gostava de escrever histórias, confeccionar livrinhos. Além disso, dava aulas e gostava de repetir tudo aquilo que escutara nas missas das crianças, que eu frequentava. Em meus relacionamentos ilusórios dessa época, representados no "brincar de bonecas", eu era a mãe, a professora, a médica. Sinto-me feliz ao constatar que consegui nortear minha vida adulta de acordo com meus anseios de criança.

Depois de constituir família, realizando-me como mãe e de me tornar médica pediatra, sentia-me impelida a ir em busca de mais alguma coisa no âmbito profissional. Senti uma enorme satisfação ao retomar meu antigo hábito de escrever. E associei a essa mais nova vocação redescoberta outras duas: a de ensinar e a de pregar o Evangelho, por meio de meus livros e das palestras, que passei a ministrar, sobre espiritualidade e saúde. Tem sido uma experiência muito prazerosa, que me dá cada dia mais satisfação, confirmando minha intuição de que escolhi os caminhos mais adequados. Agradeço a Deus ter tido esse discernimento por meio da oração.

O que acontece quando desistimos de nossos sonhos?

Quando alguém abre mão de seus anseios, separa-se de suas raízes, vegeta sem sentido (GRÜN, 2011c). Sonhos não realizados podem acompanhar a pessoa por toda a sua vida com a sensação de fracasso. O indivíduo busca refúgio em uma rotina vazia, vivendo de forma automática; sem grandes perspectivas, sendo praticamente levado pela vida, sem almejar mudanças nem perseguir objetivos. Esse tipo de pessoa parece não ter sonhos; sua vida não lhe reserva mistérios, pois esquecera que fora feito à imagem e semelhança do Criador, de maneira única e singular (GRÜN, 2014d).

Esse autor nos lembra que existe, dentro de cada indivíduo, uma criança e que os desejos dela devem ser levados a sério, sob pena de se tornar, futuramente, um adulto sem criatividade, originalidade e vitalidade.

Por que os sonhos são importantes?

Os sonhos de vida estimulam o ser humano em seu crescimento individual e na busca por seus espaços por meio de seus talentos. Eles colocam as pessoas em contato com seus verdadeiros dons, que estão gravados em sua alma, tirando-as da vida superficial que levam, pondo-as diante de seu verdadeiro "eu". As crianças, muitas vezes, divertem-se em brincadeiras que refletem as profissões que gostariam de abraçar ou constroem coisas que representam sua verdadeira vocação. Geralmente, o que as crianças fazem bem, em seu mundo imaginário, tornar-se-á seu sonho de vida (GRÜN, 2011c).

Há quem diga que uma pessoa é verdadeiramente aquilo que ela carrega em seu íntimo desejante. Quem só deseja possuir coisas possui um coração inquieto; já aquele que deseja o bem, a justiça e o amor terá sempre um coração vibrante. Ao sonhar, o ser humano ultrapassa o momento atual, não como fuga da realidade, mas como perspectiva de atingir algo melhor (GRÜN, 2014e).

Esse autor nos lembra que muitos adultos abandonam seus sonhos de criança e tornam-se tristes e vazios. Uma pessoa sem sonhos é também desprovida de fantasia. Mesmo quando oprimidas em regimes ditatoriais, as pessoas sonham com a liberdade; e isso, muitas vezes, mantém-nas vivas, pois o tirano consegue lhes aprisionar o corpo, mas nunca a alma. Um exemplo vivo disso é a vida de Nelson Mandela, pautada pelo grande sonho de liberdade para todo o seu povo, quando ele próprio amargou um longo período na prisão. Segundo seus próprios relatos, mediante a pequena abertura em sua cela, contemplava a vastidão do mundo e mantinha vivo seu sonho de ser livre; o que ajudou a mantê-lo mentalmente equilibrado, mesmo passando por tanto sofrimento e tanta opressão.

Não podemos esquecer também outro grande homem que manteve vivos seus sonhos: Viktor Emil Frankl. Após sua experiência de vida e sobrevivência em três campos de concentração nazista, tendo perdido seus pais, irmãos e sua esposa, além de vários amigos, Frankl constatou que o principal motivo para um ser humano manter vivo o desejo de viver era ter um sentido para tal. Disso nasceria, posteriormente, a Logoterapia, criada por ele, também conhecida como Terceira Escola Vienense de Psicoterapia. Passou por grandes humilhações e privações nas mãos dos nazistas, inclusive vendo seus primeiros escritos sobre suas teorias serem destruídos. Atuou como psicólogo voluntário junto a seus companheiros e mantinha-se vivo pela esperança de reencontrar sua esposa e escrever seu livro (GOMES, 1992).

Segundo o mesmo autor, Frankl começou a aplicar na prisão uma das técnicas da Logoterapia, chamada de derreflexão, segundo a qual o indivíduo dá sentido a seu sofrimento, tirando o foco do estresse atual, concentrando-se no futuro; ou seja, pensando em algo que seria concluído ou realizado quando saísse da situação desfavorável, que, no caso dele e de seus companheiros, era o horror do campo de concentração.

Os sonhos ajudam a manter a vida mais empolgante, afastando o tédio e a banalidade da rotina. Só aquele que tem sonhos pode ajudar a mudar o mundo; pois o verdadeiro sonho não se deixa abater por nada. Ele é libertador e conduz à paz imperturbável. Os sonhos são a respiração da alma, ajudando-a a seguir em frente, aspirando à máxima realização: o encontro pessoal com Deus na eternidade (GRÜN, 2014d). Aquele que persegue seus sonhos cria asas, adquirindo novo fôlego para enfrentar as adversidades da vida; de um jeito ou de outro, conseguirá o pão de cada dia (GRÜN, 2015c).

Quando devemos desistir de nossos sonhos?

Muitas vezes, a realização de nossos sonhos não depende unicamente de nossa vontade e dedicação. Outros envolvidos podem contribuir para o insucesso de nossos planos: no casamento, na família, em um emprego ou em outras áreas de nossa existência. Quando, por exemplo, morre alguém querido para nós, devemos abrir mão dos planos que tínhamos para essa pessoa e, simplesmente, viver o período de luto. Quando perdemos uma oportunidade profissional, devemos ser maduros o suficiente para reconhecer se ainda é possível ir em busca de outra investida nesse mesmo caminho ou se, ao contrário, devemos tomar outro rumo (GRÜN, 2011c).

O autor, anteriormente citado, chama atenção para a importância de saber se despedir de um projeto de vida, da juventude, da carreira profissional, do casamento que não deu certo, enfim, de tudo aquilo que, em determinado momento da vida, já não é mais possível. De forma madura, o indivíduo precisa encarar sua realidade de vida atual e procurar ser feliz com ela.

Qual a importância dos sonhos que temos quando dormimos?

Os sonhos são formas de canalizar os desejos não realizados por meio da consciência, sem despertar o corpo; são caminhos alternativos para satisfazer o que a psicologia chama de *id*, liberando energia acumulada, reduzindo a tensão. Muitas vezes, o conteúdo de tais sonhos não é possível de ser realizado ou não seria adequado que o fosse (FADIMAN; FRAGER, 1986).
Quando estamos dormindo, liberamos a imaginação de nosso inconsciente. Aquilo que nos acontece durante o dia, que não foi suficientemente elaborado e gerou ansiedade pode aparecer no conteúdo do que sonhamos. Sob o ponto de vista da neurofisiologia, os sonhos representam vários estágios da atividade neuronal, ocorrendo na fase de sono mais profunda, denominada Rapid Eyes Movement (REM). É nessa fase que os conteúdos emocionais são processados (OLIVEIRA; ACAMPORA, 2013).
Existem vários relatos bíblicos mostrando a importância dos sonhos. Talvez os mais famosos sejam: o de José do Egito, que, após ter sido vendido como escravo e ter ido parar na prisão, tornou-se o homem de confiança do faraó por saber interpretar sonhos (Gn 41,14-37); e o de José, o pai adotivo de Jesus, que sonhou com um anjo lhe dizendo para tomar Maria como sua esposa, mesmo sabendo que ela estava grávida (Mt 1,18-24). Esses parecem ser indícios de que Deus nos fala também por meio de sonhos.

Grün e Wu (2016) lembram os vários significados que os sonhos possuem na Bíblia:

- Deus nos mostra, por meio de imagens oníricas, a verdade sobre nós mesmos, sobre as outras pessoas e sobre uma comunidade;
- alguns dizem claramente que direcionamento na vida se deve tomar, sobretudo quando a escolha irá interferir na vida de muitas pessoas;
- indica uma promessa de que o Espírito Santo age sobre nós e de que, ao final, tudo em nossa vida dará certo, porque Deus estará sempre conosco.

Atualmente, já se sabe que até os bebês na vida intrauterina sonham; provavelmente com as batidas do coração da mãe e outros aspectos semelhantes, de acordo com seu estágio de desenvolvimento. Não temos apenas sonhos agradáveis, também nos sobressaltamos com pesadelos; nesses episódios, o corpo manifesta estresse por meio de taquicardia e dificuldade respiratória (OLIVEIRA; ACAMPORA, 2013).

Grün e Wu (2016) lembram, em sua obra, que uma das preocupações da psicologia é com a interpretação dos sonhos, por acreditar que eles sejam reflexo do subconsciente humano. Em outros casos, eles servem também para ajudar a digerir a realidade, pois, se não sonhamos, sobrecarregamo-nos com as vivências do cotidiano. Os sentimentos vivenciados durante o dia irão desencadear certos sonhos à noite. Assim, sentimentos de raiva, rancor podem ocasionar sonhos com cenas de violência ou com animais peçonhentos. Os sonhos de perseguição atormentam quem se ocupa durante o dia com sentimentos negativos.

Questões de saúde física e mental se relacionam com a qualidade do sono, refletindo-se, portanto, sobre a ocorrência ou não dos sonhos. Assim, doenças da tireoide, por exemplo, influenciam sobre a qualidade do sono. Isso, por sua vez, interfere sobre a imunidade, as taxas de açúcar e colesterol no sangue e muitos outros aspectos do corpo. Um sono de má qualidade prejudicará também a memória. O simples fato de o indivíduo não lembrar seus sonhos já pode ser um indício de que algo vai mal na máquina humana (OLIVEIRA; ACAMPORA, 2013).

De acordo com o pensamento psicanalítico de Freud, os sonhos retratam os desejos reprimidos no subconsciente humano, na maioria das vezes referindo-se a aspectos da sexualidade. Já Jung vê os sonhos de maneira diferente: como uma mensagem a ser decodificada pelo sonhador; algo a ser entendido, trabalhado, mas não somente no âmbito sexual. Sua interpretação (do sonho) deve ser feita levando-se em conta o contexto em que vive o indivíduo e não uma associação previamente determinada por quem se diz capaz de desvendá-lo. Ainda segundo Jung, os sonhos teriam uma função *compensatória*, bem como poderiam também ajudar na *resolução de conflitos* internos ou, até mesmo, teriam *função profética*, predizendo o futuro. Mas é muito importante que se diga que não devem ser supervalorizados, pois não há uma obrigatoriedade para tais funções (GRÜN; WU, 2016).

Oliveira e Acampora (2013) descrevem com outras palavras as ideias freudianas sobre esse tema. Segundo Freud, os sonhos seriam fundamentais na vida porque:

- ajudariam a obter satisfação pessoal e confeririam certa proteção ao ser humano;
- canalizariam os desejos não realizados conscientemente;
- melhorariam a qualidade do sono, na medida em que impediriam sua interrupção.

Do ponto de vista da teologia, o sonho pode libertar o indivíduo de uma cegueira, ou seja, fazê-lo enxergar a verdade que está sendo negligenciada por ele. Muitas vezes, a consciência se encontra bloqueada pelas percepções humanas, mas, durante o sono, o subconsciente revela algo que está obscuro. Como via de regra, deve-se inicialmente interpretar as imagens oníricas tendo em mente os relacionamentos, o ambiente de trabalho; por fim, tendo de considerar o próprio sujeito que teve o sonho; afinal tudo diz respeito a ele, a seu estado de vida, a sua situação (GRÜN; WU, 2016).

Jung afirma que os sonhos seriam uma importante ferramenta psíquica, que procura obter para o indivíduo o equilíbrio por meio de mecanismos compensatórios, representando um importante método de resolução de conflitos, por meio de imagens arquetípicas, trazendo para o consciente imagens do subconsciente (OLIVEIRA; ACAMPORA, 2013).

Do ponto de vista da ciência, sabe-se que todo ser humano sonha, embora muitas vezes não se lembre ao acordar. E, se por algum motivo não estiver conseguindo sonhar, pode ser um indício de doença física ou mental. Os sonhos não devem ser supervalorizados a ponto de transferir para eles a responsabilidade da tomada de decisões na vida, tão pouco devem ser negligenciados, considerados sem nenhuma importância. Sua interpretação dependerá da cultura, na qual o indivíduo está inserido. Portanto, a maneira ocidental difere da forma oriental de decifrar as imagens que visualizamos quando dormimos (GRÜN; WU, 2016).

Concluindo

Muitos desistem de seus sonhos de vida porque seus parentes ou amigos lhes aconselham buscar primeiro uma profissão, que lhes garanta o sustento, que lhes ofereça certa segurança financeira. Mas, se for feita uma reflexão mais profunda, ficará evidente que na vida não há garantias de nada, principalmente no mundo globalizado de hoje, em que tantas empresas falem ou fundem-se, demitindo e transferindo funcionários a todo instante. O jovem deve procurar viver de acordo com seus próprios ímpetos, sobretudo na escolha da carreira profissional, para que no futuro não venha a culpar seus pais ou qualquer pessoa que os tenha desestimulado de seguir seu caminho (GRÜN, 2015b; GRÜN 2015c).

Muitas vezes, deixamo-nos contaminar com pensamentos negativistas, que ficam martelando em nossa cabeça, de que "não somos capazes de realizar aquela meta"; mas o fato é que, para descobrir se somos ou não capazes, teremos de tentar primeiro, correr riscos. Não há outra forma de realizar as coisas que se planeja, a não ser investindo no sonho de vida que se almeja. É importante não desanimar, manter acesa a chama da esperança em uma vida cada vez melhor, apesar das dificuldades que possam surgir pelo caminho.

Quanto aos sonhos tidos durante o sono, esses nos são de grande valia psíquica e até mesmo física, servindo para ressignificar as vivências humanas; ressaltar quais as nossas principais necessidades; chamar atenção para dificuldades de relacionamento; revelar o verdadeiro valor daqueles com os quais nos relacionamos; elucidar aquilo que está de difícil compreensão; ajudar a resolver problemas, dando mostras de como agir. No entanto, é importante que se diga que os sonhos não são infalíveis e que nem sempre nos dizem o que é, de fato, melhor para nós. Há de se ter cautela com a interpretação deles (OLIVEIRA; ACAMPORA, 2013).

VI

A fé como instrumento na luta contra o mal

"Houve uma batalha no céu. Miguel e seus anjos tiveram de combater o Dragão. O Dragão e seus anjos travaram combate, mas não prevaleceram. E já não houve lugar no céu para eles. Foi então precipitado o grande Dragão, a primitiva Serpente, chamado Demônio e Satanás, o sedutor do mundo inteiro. Foi precipitado na terra, e com ele seus anjos."

(Ap 12,7-9)

O que é o mal?

Os relatos bíblicos anteriores ilustram a origem do mal antes mesmo da criação do homem, pela rebeldia de um anjo celeste do mais alto escalão que não aceitava os planos de Deus para a humanidade e a vinda de Cristo, a quem deveria ser submisso (MANZOTTI, 2017). O mal que se abate sobre a humanidade sob a forma de catástrofes e guerras atinge antes a Deus do que mesmo ao homem. É um mistério incompreensível que degrada e destrói a imagem de Deus em nós. O ser humano se revolta diante do mal, mas a única alternativa viável para vencê-lo é a luta, a resistência a ele; é o silêncio da oração, a fé em Cristo crucificado (SARAH; DIAT, 2017). O mal é um mistério incompreensível para nós meros mortais. Não podemos com nossas forças eliminá-lo do mundo por completo, sendo necessário aprender a conviver com ele. Como pode isso ser possível? Uma das formas seria fazer as pazes com os desafetos e não bater de frente com eles. A psicologia relaciona a origem do mal com a história de vida do indivíduo que o pratica; já para os monges do deserto o que importa é o comportamento presente do ser humano, não devendo se levar em conta apenas o que aconteceu em sua infância (GRÜN, 2011a).

Como o mal se apresenta?

Grün (2011a) chama atenção para a existência dos demônios, seres que disseminam o mal entre homens e mulheres. Apresentam-se para nós com aparente inocência, sondando nosso comportamento, nossas fraquezas e tendências para nos atacar. Eles escravizam as pessoas por meio de seus pontos fracos, tornando-as cegas para a verdade. Não têm acesso à alma humana, mas observam nossa linguagem corporal e facial, deduzindo quais nossas inclinações e necessidades para então nos tentarem.

São Bento apontava três brechas que o gênero humano abre para que o mal penetre em sua vida: a cobiça, a vaidade e o orgulho. Mediante elas, surgirão diversos crimes. Para combater essa primeira tentação, devem ser praticados a generosidade e o desapego. Contra a segunda, deve-se lançar mão da mansidão e da simplicidade. E, por fim, em oposição à terceira tentação, deve-se recorrer à humildade (MANZOTTI, 2017).

Os demônios nos inspiram maus pensamentos, muitas vezes, trazendo-nos, recordações de um passado repleto de sofrimento. Eles reabrem feridas, despertando emoções prejudiciais à existência humana. Eles não costumam atingir os homens diretamente, mas o fazem lhes apresentando motivos racionais para buscarem determinado vício (GRÜN, 2011a). O diabo age incitando rebeliões, semeando a discórdia e a desordem, sempre fazendo muito barulho. Cabe à Igreja de Cristo o papel de educar, alimentar, preocupando-se com a saúde física e moral dos fiéis. Não cabe à Igreja incitar revoltas, destituir governantes do poder ou aspirar para os padres cargos políticos (SARAH; DIAT, 2017).

Dessa forma, os demônios a que se refere (GRÜN, 2011a) instigam o indivíduo a pensar nos motivos pelos quais deve comer e não jejuar (gula). Incendeiam o corpo com fantasias eróticas (luxúria); desencorajam atitudes de generosidade e renúncia às coisas materiais (cobiça); estimulam as lembranças do passado, fazendo crer que tudo era melhor do que no tempo presente, cegando o indivíduo para a beleza do momento atual (tristeza); enchem o coração humano com emoções violentas, impedindo a clareza de pensamentos (ira); retiram do corpo e do espírito toda a energia, deixando a pessoa sem gosto pela vida (acídia); enfeitiçam, de forma sutil, as pessoas virtuosas, de modo que elas se esforçam por agradar aos outros homens e não a Deus por meio de sua aparente bondade, glorificando seu próprio "eu" (vaidade); insuflam a alma dos homens, fazendo-os pensar que são superiores, colocando-os em uma vida de aparências, em que Deus seria desnecessário (orgulho).

O mal pode vir até nós de várias maneiras: sob a forma da perda de um ente querido, quando temos grande dificuldade em aceitar sua partida. Diante desse tipo de sofrimento, o ser humano pode vir a experimentar um sentimento de desenraizamento, de desconexão com suas raízes, ao romper com um relacionamento que lhe proporcionava segurança existencial.

Outra forma de manifestação do mal em nossa vida ocorre quando nos sentimos injustiçados; quando somos caluniados. Algumas pessoas têm dificuldade em conviver pacificamente com os outros por sentirem-se rebaixadas em seu valor. Na verdade, admiram o outro, desejam ter algumas de suas qualidades ou, simplesmente, invejam a situação financeira ou a estabilidade emocional daqueles que julgam ser seus opositores ou adversários. Como não conseguem ser iguais a ele(a), passam a denegrir sua imagem, inventando mentiras, na tentativa de destruir sua reputação. O indivíduo invejoso sente-se mal-amado por alguém próximo ou inferior profissionalmente a seus colegas de trabalho; então procura sobressair-se a todo custo em cima daquele(a) que, porventura, tenha se tornado o alvo de sua cobiça. Esse tipo de situação é extremamente comum nos ambientes de trabalho e também nas famílias, entre irmãos, inclusive. O exemplo bíblico mais típico desse conflito é a história de Caim e Abel, relatada no livro do Gênesis:

> Caim disse então a Abel, seu irmão: "Vamos ao campo". Logo que chegaram ao campo, Caim atirou-se sobre seu irmão e matou-o. O senhor disse a Caim: "Onde está seu irmão, Abel?" – Caim respondeu: "Não sei! Sou porventura eu o guarda de meu irmão?" O Senhor disse-lhe: "Que fizeste? Eis que a voz do sangue do teu irmão clama por mim da terra. De ora em diante, serás maldito e expulso da terra, que abriu sua boca para beber de tua mão o sangue do teu irmão" (Gn 4,8-11).

Por que temos dificuldade em identificar o mal que nos cerca?

Muitas vezes, temos dificuldade em identificar pessoas más com quem convivemos porque temos a mania de julgar os outros por nossas próprias atitudes. Então nos surpreendemos quando vemos aquele caso na TV em que a filha mata seu(s) genitor(es) ou o contrário, um dos genitores, que deveria proteger sua cria, mata de maneira cruel o próprio filho; ou quando um amigo planeja e executa a morte de um jovem; ou o marido mata a esposa.

Enfim, são tantos casos nas páginas policiais e nos programas televisivos, que nos assustam cada vez mais. Pensemos sobre o que as pessoas hoje em dia são capazes de fazer! Se buscarmos na história, veremos que a maldade sempre esteve presente entre os seres humanos. Nós continuamos a nos surpreender com ela, porque pensamos que o outro agirá como nós. Mas, na verdade, ninguém sabe o que se passa na cabeça das pessoas.

Convivemos com muitos colegas de trabalho que, disfarçadamente, nutrem inveja e ciúmes de nossas habilidades, de nosso salário e que, na primeira oportunidade que tiverem, irão nos caluniar, em uma tentativa de nos desacreditar, desvalorizar-nos. Dentro da própria família, muitas vezes, existem pessoas que nos odeiam em segredo e que são capazes de verdadeiras atrocidades para nos prejudicar. Algumas vezes brincamos despreocupadamente com tais indivíduos, sem saber que secretamente arquitetam planos maquiavélicos de vingança, por fatos do passado que julgávamos resolvidos, superados, sem importância. A verdade é que nunca podemos afirmar com precisão o que se passa no coração de um homem. É sempre bom lembrar o exemplo de Judas Iscariotes, o traidor, que vendeu Jesus por trinta moedas de prata.

Não estou com isso pregando a desconfiança, o medo nem tão pouco o pré-julgamento. Mas chamo atenção para a necessidade de prudência nos relacionamentos;

para a necessidade da oração, de entregar-se ao Espírito Santo e ao Anjo da Guarda. Somente o sobrenatural pode vencer o sobrenatural; pois, de acordo com minhas concepções próprias, o mal nada mais é do que uma grande força invisível e negativa, que arrasta os seres humanos para o pecado, para a destruição e para a morte.

Como podemos combater o mal?

Evágrio menciona os métodos utilizados pelos monges do deserto como forma de resistir às tentações, aos vícios. Dessa forma, seria colocada uma palavra das Sagradas Escrituras, com argumentos sólidos e eficazes para se opor à determinada tentação. Também é conveniente para o combate aos vícios: a oração, a poesia, os salmos, a redução no comer e no beber, a prática da caridade, o desapego às coisas e pessoas, o exercício da paciência (GRÜN, 2011a).

Diante de uma ofensa, o melhor remédio é o perdão. Isso não significa que tenho de conviver com quem me ofendeu, principalmente quando a outra pessoa não quer se reconciliar comigo. Mas, quando perdoamos, tiramos do ofensor o poder que ele tem de nos atingir. Seria extremamente benéfico rezar para que ele encontre a paz (GRÜN, 2015a; GRÜN, 2015c).

Esse autor diz que o ato de perdoar é um reflexo do perdão de Deus para nós. Quando nos sentimos perdoados por Deus, livramo-nos da sensação de desespero, que nos assola a alma, do peso de tentar manter sempre a imagem de que somos exclusivamente bons, de que não cometemos erros; somos infalíveis. O ser humano precisa perdoar-se, pois, do contrário, o mal não é combatido, e sim alimentado, amplificado em sua potência. Quando o indivíduo se autorrejeita, condenando a si próprio, permanece no mal, correndo o risco de desistir dele como pessoa.

A acídia afeta a alma como um todo, tornando o indivíduo esgotado, oco, vazio, pois suas emoções são sufocadas, para que a dor não seja percebida. Deixar que as lágrimas corram livremente pode ser de grande ajuda, a fim de tentar quebrar a crosta que se formou sobre a existência da pessoa que está sendo vítima de acídia, umedecendo sua alma ressequida. Outro remédio contra esse mal é desempenhar as tarefas do dia a dia de forma ordenada (GRÜN, 2011a).

As tentações, pelas quais passam o ser humano, faz parte da vida dele e serve para seu próprio crescimento espiritual. Para cada fraqueza específica, sugiro que se busque a virtude contrária. Assim, quem é avarento procure praticar a caridade. Quem se sente atormentado por pensamentos de luxúria busque firmemente a castidade. Quem é orgulhoso, cheio de soberba, procure ser humilde. Como dizia São Paulo:

> Por isso sinto prazer nas fraquezas, nas injúrias, nas necessidades, nas perseguições, nas angústias por amor de Cristo. Porque, quando estou fraco, então sou forte (2Cor 12,10).

Quando experimentamos a morte de um ente querido

O desaparecimento de uma pessoa deixa-nos petrificados, mas, ao mesmo tempo, permite-nos penetrar no mistério da fé cristã, na expectativa de outra vida. O homem moderno tem aversão à morte e evita encará-la. Então, quando se vê diante dela, deixa transparecer em seu rosto toda a angústia e tristeza inconsolável. Quando morre alguém que amamos, vai junto com ele uma parte de nossa vida. A separação é algo brutal, superada apenas pela meditação silenciosa em nosso coração, pela tentativa de enxergar um sentido para a morte, por meio da vitória de Cristo na cruz (SARAH; DIAT, 2017).

Todo aquele que já perdeu um parente próximo sabe quão difícil é essa situação. Há momentos de revolta, de profunda tristeza, de incredulidade, de saudade ou, simplesmente, de incompreensão em relação ao sofrimento permitido por Deus. Muitas vezes, os outros não compreendem a extensão de tamanha dor e dizem expressões consoladoras que só pioram as coisas. Quem está de fora, às vezes, acha que o enlutado tem a obrigação de conformar-se logo e seguir em frente. Mas aquele que sofre sente a necessidade de continuar expressando seu pesar, sua dor.

É importante escolher bem as palavras antes de falar a alguém que está vivenciando uma perda. Quando minha mãe já estava gravemente enferma, acometida por metástases de um câncer de mama, disseram-me que ela já vivera muito. Aquilo me encheu de revolta e nutri, naquele momento, grande raiva pela pessoa que fizera esse inoportuno comentário. Pensei comigo mesma que ela dizia aquilo porque não se tratava da mãe dela. Minha mãe ainda tinha muito o que viver aqui conosco; nós a amávamos tanto! Certamente, ainda tinha sonhos a realizar, momentos felizes a compartilhar com seus filhos, netos e amigos; então aquela frase soou para mim como uma grande ofensa.

A recepcionista do consultório da oncologista, que a atendia também, tentou me consolar, dizendo que minha mãe já cumprira sua missão aqui na terra. Segundo ela, pior era a situação de outra paciente daquele mesmo consultório, uma jovem que estava internada naquele momento em um hospital de João Pessoa, também lutando contra o câncer. Era como se a outra paciente, por ser jovem, fosse mais importante do que minha mãe, que já era idosa. Também nessa ocasião me senti muito magoada com esse comentário, dito talvez para minimizar minha dor.

Estava atravessando uma fase muito difícil, pois acompanhava todo o seu sofrimento com a falta de ar, em decorrência do comprometimento pulmonar pelo câncer. Estávamos enfrentando a resistência do cirurgião para realizar uma drenagem torácica, seguida de outro procedimento que se fazia necessário para que o derrame pleural não voltasse; tudo isso agravado pelas dificuldades burocráticas, impostas pelo plano de saúde, para que tal cirurgia fosse realizada.

Não importa a idade da pessoa que você perde; se é jovem ou idosa, principalmente quando é alguém que está consciente e que deseja ardentemente viver. O sentimento que nos vem é de impotência e frustração por não poder intervir da maneira que gostaríamos. Então, por experiência própria, deve-se ter extremo cuidado com as palavras que se diz a uma pessoa que está passando por uma perda dessa natureza. Melhor, às vezes, é não dizer nada; só ouvir e ficar por perto.

Eu sempre valorizei minha mãe e meu pai, mas, quando chegou o momento tão temido, desde minha infância, em que tive de me despedir definitivamente de um deles, experimentei uma dor muito profunda. Um sofrimento que se sobrepôs a tudo de ruim que já acontecera em minha vida. Parecia que tudo que eu julgara ser um problema até então não significava mais nada. Diante da morte, tudo na vida se torna insignificante e pequeno; nossas preocupações cotidianas com o trabalho, vestuário, posses, realizações pessoais tornam-se sem importância, irrelevantes.

Outro sentimento que nos assola, quando perdemos alguém querido, é de estranheza pela ausência daquela pessoa, sempre tão presente em nossos pensamentos. Na verdade, a pessoa continua viva em nosso coração, em nossa mente, por isso é estranho não poder abraçá-la, não poder mais vê-la; sentir seu cheiro. Sobrevém, às vezes, um desespero por saber que essa saudade é crescente a cada dia. Dizem que só o tempo traz o devido consolo e apenas Deus pode trazer a cura definitiva para essa dor.

Realmente, pelo que tenho experimentado, a fé na vida eterna ajuda muito a suportar uma perda dessa natureza. Acreditar que seu ente querido está em outra dimensão e que apenas não podemos vê-lo é, com certeza, bem melhor do que achar que a vida se encerra completamente com o cessar das batidas do coração, com o último suspiro ou com a visualização do traçado linear das ondas cerebrais. Tive a oportunidade de ouvir de um ateu o que ele experimentou com a morte de seu pai e constatei que é muito mais difícil lidar com a morte, quando não se crê em Deus.

Como superar o mal que a morte nos traz

Talvez a única maneira de encarar a morte de maneira destemida seja vê-la como um encontro com o Pai e consigo mesmo, em uma verdade plena, em que nada mais ficará encoberto. A melhor maneira de passar pelo processo do morrer é entregar-se nas mãos de Deus, confiantes em seu amor (GRÜN, 2014d).

Na verdade, a morte é uma porta que nos permite a passagem para a vida eterna e devemos atravessá-la com serenidade, sem muito alarde. Para alguns, a morte seria uma noite sem futuro algum; não se pode ignorar que o anoitecer traz consigo muitos benefícios. O momento de separação entre o corpo e a alma é de um silêncio incomparável, precedendo aquele que será experimentado no céu. O adormecer eterno é silencioso, assim como toda obra divina; assim como ocorrera na fecundação, ou seja, no momento em que a alma se unira ao invólucro carnal (SARAH; DIAT, 2017).

São comuns os sentimentos de culpa quando morre alguém que nos é muito querido. Sente-se culpa por não ter percebido quão doente a pessoa estava, por não ter lhe dito palavras de carinho; enfim, sempre haverá um motivo para achar que se poderia ter feito algo a mais.

É importante livrar-se desse sentimento de culpa, tentar suportar o sofrimento e, finalmente, transformá-lo em algo positivo para nossa vida. A perda gera a necessidade de reflexão sobre como estamos lidando com nossa própria vida e sobre nossa relação com a pessoa falecida. Que mensagem ela quis deixar com sua vida ou o que ela gostaria de nos transmitir agora? Certamente ela não gostaria que estagnássemos nossa vida devido a sua partida, pois nossa existência também é finita, e a vida deve ser valorizada sempre (GRÜN, 2011b).

Interessante a definição que Kübler-Ross (2006) dá a respeito da morte. Para ela, seria apenas a mudança de habitat para a alma, que deixa o corpo e vai para outro lugar, de modo semelhante ao da borboleta que abandona seu casulo para assumir uma nova forma de viver, melhor que a anterior. A morte assume então as cores de um novo amanhecer. Sem dúvida alguma essa forma de encarar o fim derradeiro de nossos entes queridos é de grande valia para quem enfrenta esse tipo de problema.

Outra maneira de lidar com essa perda é celebrando sua memória em determinadas ocasiões. Em todas as culturas, existem formas de realizar tais rituais. Por exemplo, no México é costume fazer piquenique no túmulo do morto em seu aniversário de morte. Entre as culturas japonesa, coreana e chinesa é costume rememorar seus falecidos na comemoração do ano novo. Para o cristão, a comunhão entre vivos e mortos se dá na mesa eucarística, em que todos somos um com Cristo. E quem morreu em comunhão com Cristo com Ele já ressuscitou. Orar pelos mortos também ajuda a dissipar o sentimento de culpa, que, porventura, estejamos nutrindo em relação a eles. Os falecidos podem ser nossos intercessores, uma vez que estão junto a Deus, de acordo com a fé católica. A mãe falecida continua transmitindo seu amor e sua proteção, e o pai permanece encorajando-nos para a vida, como faziam antes de morrer (GRÜN, 2014d).

A morte de acordo com a visão de Paulo

Para o apóstolo Paulo, "viver é Cristo; morrer é lucro". Ele demonstrava com tal expressão, em sua carta aos Filipenses, seu imenso anseio de estar com Deus. Expressava ainda grande coragem, mesmo sabendo que seria morto a qualquer momento. Na segunda epístola a Timóteo, São Paulo prediz sua morte, mas em nenhum momento demonstra temer o fim que se aproxima; ao contrário, encara a morte como uma libertação, como um prêmio:

> Quanto a mim, estou a ponto de ser imolado e o instante de minha libertação se aproxima. Combati o bom combate, terminei minha carreira, guardei a fé. Resta-me agora receber a coroa da justiça, que o Senhor, justo juiz, dar-me-á naquele dia, e não somente a mim, mas a todos aqueles que aguardam com amor sua aparição (2Tm 4,6-8).

Como posso lidar com o mal que a doença nos causa?

Na doença o ser humano experimenta um pouco do silêncio da eternidade. Quando se está diante de um mal incurável, as palavras tornam-se desnecessárias, supérfluas. Mais útil, na verdade, é a compaixão, a proximidade, o carinho demonstrado com um afago. Os ocidentais tememo sofrimento em demasia, ao contrário do que ocorre no Oriente e na África, onde se tem uma maior aceitação das experiências dolorosas (SARAH; DIAT, 2017).

Não é nada fácil conservar a fé diante de grandes tribulações; diante de uma doença incurável. Falo isso com muita propriedade, pois vi minha mãe adoecer mais e mais a cada dia, vítima de um câncer de mama que recidivou, trazendo metástases nos ossos, medula sanguínea e pulmões. Acompanhei de perto todo seu sofrimento, a ponto de senti-lo intensamente. Busquei para ela todas as alternativas de tratamento que me foram propostas, acompanhando-a em todas, sem obter nenhum êxito.

A fé realmente é um dom de Deus, pois não existe uma explicação racional ou lógica para tal coisa que se sente. Como explicar alguém acreditar em algo que não se vê, mesmo quando se padece de dores insuportáveis, de falta de ar constante? Como se conserva a fé, mesmo sem obter resposta às orações em que se pede a cura? Pude presenciar também todo esse processo, em que, embora toda a família, tantos amigos, inclusive padres rezassem, a cura não acontecia; o milagre tão esperado, até seu último instante de vida, não ocorreu.

Sem sombra de dúvida a doença é um grande teste. Diante dela temos duas opções: sucumbir à tristeza, ao desânimo, à depressão, às lamúrias, perdendo a fé e se entregando por completo, ou conservar essa fé, como fez São Paulo, e encarar esse sofrimento como uma grande batalha a ser vencida. Ao final, o crente que conserva sua fé será sempre um vencedor, mesmo que morra nesta vida. Afinal, ele terá na outra sua recompensa: a presença eterna de Deus a seu lado.

Como disse inicialmente, não é fácil conservar a fé nessas condições. Mais comum seria dizer: onde está Deus? Ele não me ouve? Está surdo ou insensível a meu sofrimento? O que fiz para merecer isso? Não ouvi em nenhum instante minha mãe dizendo algo assim. Quanto maior seu sofrimento, mais ela rezava e pedia que rezássemos com ela e por ela. Acredito que, por isso, sua sobrevida foi longa após a cirurgia, quimioterapia e radioterapia, que fizera sete anos antes de estourar novamente essa doença tão cruel, comparando a outras pessoas que conheci e tiveram o mesmo tipo de câncer, morrendo em menor tempo que ela, mesmo sendo mais jovens.

No decorrer da doença, pude ver algumas transformações em seu comportamento. Sempre fora uma mulher de personalidade muito forte, cheia de vontades. Mas à medida que seu quadro foi se agravando, ela foi se tornando uma pessoa mais dócil e carinhosa com todos. Elogiava aqueles que a cercavam e lhes dizia o quanto gostava deles, o quanto os amava. Apesar de não ter ouvido de nenhum médico ou parente seu real diagnóstico, parecia sentir que sua hora de partir já se aproximava. Valorizava cada coisa que comia, quando tinha apetite. Apreciava imensamente as visitas que recebia em casa ou no hospital, tratando-as com o máximo de carinho.

Suas últimas palavras pronunciadas foram rezando o Pai-nosso. Então para mim, como sua filha, restou-me uma única alternativa, diante de tão grande exemplo de fé e fortaleza: não desacreditar de Deus, mesmo diante da dor dessa separação intransponível, que é a morte. Acrescento ainda que, se não fosse pela fé que o Espírito Santo me concede, não teria sido possível suportar essa grande tribulação na vida de minha família, que foi a doença que se abateu sobre minha mãe.

Não adianta o doente ficar remoendo o passado, à procura de possíveis causas para a doença que se abateu sobre ele. É mais útil perguntar-se o que essa doença tem a lhe dizer; como deverá viver sua vida a partir dessa situação que está enfrentando. Seria melhor tentar pautar sua vida tendo Deus como o primordial e não apenas ter uma vida saudável e cheia de realizações pessoais. Pode ser que esse segundo objetivo de vida não perdure, e o indivíduo caia em depressão, pois sua vida teria sido idealizada de uma maneira muito perfeita. A doença pode ser visualizada como uma oportunidade para praticar mais a oração, o silêncio; para ouvir uma boa música, mas também conversar mais com os entes queridos. Pode ser o momento para descobrir um espaço interior que existe dentro de cada ser humano, onde Deus habita; lá nesse lugar a doença não o pode atingir (GRÜN, 2011b).

Esse autor sugere que o doente imagine a força curadora de Deus invadindo todo o seu corpo, alcançando todas as células doentes, trazendo-lhes a cura. Ele diz que existem duas formas de lidar com a doença: mantendo a fé e lutando pela cura e, também, aceitando a doença, tentando transformar-se por meio dela. Em ambas, predomina a vontade de Deus, pois Ele é soberano em nossa vida. Por meio da doença o indivíduo pode reavaliar o que, realmente, importa em sua vida, repensando sobre o que gostaria de deixar como sua marca neste mundo. Que valor tem as pessoas que o(a) cercam?

O problema, hoje em dia, muitas vezes, é a falta dos familiares cercando os doentes moribundos em seu leito de morte. Antigamente tudo acontecia às vistas de todos; tanto o nascimento quanto a morte. Já hoje, esses acontecimentos estão, muitas vezes, nas mãos de pessoas especializadas, nos hospitais. Da mesma forma que o morrer ocorre longe da presença dos adultos e das crianças, o sepultamento e a prévia preparação dos corpos passaram a serem realizados por profissionais capacitados e não pela família. O contato que havia no passado entre as pessoas da família e os doentes à beira da morte lhes era bastante salutar; conferia conforto ao paciente, ajudando-o a enfrentar o medo do momento derradeiro, e preparava os demais para o referido desfecho, lembrando-lhes de que também esse será seu destino (ELIAS, 2001).

O medo e o desânimo: dois males que paralisam o ser humano

O medo pode ter um efeito paralisante (GRÜN, 2015b). Este autor sugere que se dialogue com o medo abertamente, buscando alternativas viáveis para enfrentar os problemas do cotidiano. Muitas vezes, o medo faz com que as pessoas não vejam os fatos com clareza, restringindo seu campo de visão apenas ao problema ou à crise que estão enfrentando em determinado momento.

Provoca sensações orgânicas desagradáveis, mas não deve ser ignorado, pois pode servir de alerta para uma situação de perigo (BAKER, 2008). Em uma obra anterior (PEREIRA, 2017), explanei sobre a importância do medo para o ser humano, como forma de preservar a própria vida inclusive.

O melhor a fazer, vai dizer Grün (2015b), será elaborar para si mesmo as razões de estar com medo de determinada coisa ou pessoa, questionando-se sobre as consequências verdadeiras, livres de exageros, que determinado fato teria sobre nossa vida; e, por fim, tentar elaborar um plano de ação razoável para sair da suposta crise que, por ventura, possa vir a se instalar ou tenha se instalado em situações como, por exemplo, o desemprego, um problema com um colega de escola ou de trabalho. Melhor seria encarar a crise seja ela qual for, existencial ou financeira, como uma oportunidade de crescimento.

 Se analisarmos a história como um todo, constataremos que as grandes mudanças ocorridas na humanidade foram sempre precedidas de algum tipo de crise. O ser humano possui uma extraordinária capacidade de autoinventar-se. Os programas de televisão estão recheados de histórias de indivíduos que assumiram funções totalmente diferentes das que desempenhavam em seus empregos anteriores, obtendo muito mais êxito. Muitos só descobrem ou investem em talentos pessoais, outrora encobertos, ao se depararem com o desemprego ou com uma grande insatisfação profissional, que os motivara a pedir demissão.

 Grün (2015b) aponta como saídas viáveis para as crises: manter a cabeça fria, não entrando em pânico diante de situações atemorizantes; procurar cortar gastos e viver com mais modéstia nas crises financeiras; dar pequenos passos a cada dia em busca de outros horizontes; orar sem esperar que Deus resolva tudo em um passe de mágica; procurar conselho com alguém mais experiente e de confiança; procurar encorajar-se buscando novas fontes de abastecimento por meio do Espírito Santo.

O medo exagerado da vida e das coisas é o patológico; ele surge, muitas vezes, por meio de uma dificuldade em viver e externar as próprias emoções. Afinal, os outros poderão achar que sou louco(a), nervoso(a), incapaz, fraco(a), doente. Tornam-se então pessoas ansiosas, inseguras, por vezes, apegadas aos pais, amigos ou ao cônjuge, sempre temendo perdê-los, não sendo capazes, portanto, de contrariá-los (LORENZINI; SASSAROLI, 2000).

Outro mal que atinge o ser humano é o desânimo e o abatimento, que, às vezes, surgem nos momentos de crise. Isso aconteceu até com personagens bíblicos importantes, a exemplo do profeta Elias, que, após uma grande vitória sobre os sacerdotes de Baal, o deus da fertilidade e do sucesso, fugiu para o deserto com medo de ser morto pela rainha Jesabel. Deitou-se desanimado, esperando pelo próprio fim. Mas o anjo do Senhor foi a seu encontro e o alimentou, devolvendo-lhes as forças. Tal abatimento é reflexo, muitas vezes, da decepção que temos ao nos depararmos com um Deus, que não corresponde a nossas fantasias. O melhor é dar vazão a essa crise de fé, aos questionamentos que surgem. A própria dúvida já pressupõe a crença, a ânsia de buscar respostas; já indica a sede pelo divino, pelo absoluto (GRÜN, 2015b).

Como vemos Deus em momentos de crise?

Ao enfrentar dificuldades, muitos passam a ver Deus como um ser distante, inatingível, que, mesmo sendo onipotente, onisciente e onipresente, comporta-se como um velho ranzinza, cujo único divertimento parece ser observar o sofrimento dos pobres mortais aqui na terra. Outros, simplesmente, dizem ter perdido a fé e passam a duvidar de tudo em que acreditavam até então. O fato é que não é fácil enfrentar situações adversas, seja um divórcio, o desemprego, a perda de um ente querido ou uma doença grave em alguém da família. Realmente, apenas quem já enfrentou uma dessas situações pode entender quão difícil é não sucumbir aos pensamentos negativos, à tristeza e ao desespero.

Mas, certamente, o melhor para o indivíduo se sobressair nessas situações será conservar a fé naquilo em que se acreditava até o momento. Então Deus pode ser visto como Pai, figura protetora, que tudo providencia e que de tudo cuida; até mesmo quando nos acontecem coisas ruins e que não compreendemos.

Concluindo

Vários papas da Igreja católica, desde o Santo padre Pio XII até o papa Francisco, nos dias atuais, vêm alertando a humanidade para o fato de que Satanás existe de fato; não é um mito, uma crença apenas. Ele trabalha no mundo sorrateiramente, na política, na economia, no direito, excluindo Deus dessas áreas, fazendo o homem acreditar que tudo pode ser resolvido apenas pela racionalidade (MANZOTTI, 2017).

Muitos males que enfrentamos em nosso dia a dia nada mais são do que os desdobramentos dessa exclusão da presença de Deus nos lugares, nas decisões. Assim, os doentes se acumulam nos corredores dos hospitais brasileiros, enquanto assistimos, todos os dias, nos canais de televisão, à crescente corrupção, que tomou conta de nossa nação, causando os desvios milionários dos recursos obtidos com os impostos que pagamos. Pessoas cada vez menos comprometidas com o bem-estar da sociedade assumem cargos públicos nos poderes executivo, legislativo e até no poder judiciário, ocasionando gravíssimos problemas sociais. Tudo isso em decorrência do trabalho do maligno, que fica a rodear o gênero humano, tentando-o, seduzindo-o com o poder, com o luxo, com a luxúria, em detrimento dos ensinamentos do Evangelho.

A imagem de Deus, que devemos ter em mente, é do Pai boníssimo, que pode renovar todas as coisas, é capaz de gerar vida, mesmo diante da morte, trazendo a possibilidade do recomeço até para aqueles que desistiram de si mesmos, sendo capaz de desvincular o indivíduo de seu passado que o oprime e o faz sofrer. Ele nos mostra que a vida está sempre em transformação e se dispõe a ser o oleiro, criando um vaso novo, desde que sejamos barro moldável em suas mãos, sempre hábeis em criar algo melhor (GRÜN, 2007).

Reflexões finais

Na vida, devemos ter a medida certa em tudo o que fazemos. Assim, sejamos comedidos no falar, para não pecar pela língua, não caluniar o irmão, não espalhar maledicências ou fofocas. Aproveitemos os momentos de silêncio para falar com Deus, ouvir sua voz, meditar. Vivamos com sabedoria cada instante de nossa existência, usufruindo das alegrias, que Deus nos possibilitar viver.

O tempo de Deus não é o nosso. Tenhamos paciência para degustar os sabores, sentir os odores de cada dia e pressa em nos converter, pois, como disse Jesus: "O reino de Deus está próximo". Sejamos prudentes e procuremos viver o Evangelho; o momento que temos para fazer o bem é o agora.

Não nos deixemos amedrontar pelo mal, pois Jesus nos disse que estaria conosco até o fim dos tempos; o bem sempre vencerá. Independentemente do que tenha acontecido, não devemos esquecer o amor de Deus por nós, o qual nos concedeu a salvação, mediante o sacrifício de seu Filho único na cruz.

"Alegrai-vos" diz a Palavra de Deus (Fl 4,4). Não deixemos nos abater pelo desânimo, pelas decepções, traições, perdas. Tudo passa neste mundo; somente Deus permanece. Se pensarmos assim, não sentiremos angústia; não seremos derrotados pela depressão. Ela, por sua vez, poderá ter alguma serventia. Em meu caso, aprendi a desistir.

Sim, desistir de planos inviáveis, impossíveis, desnecessários ou supérfluos é extremamente importante, pois grande parte dos episódios de depressão são desencadeados em momentos de frustrações desmedidas. E uma das características dos indivíduos suscetíveis à depressão, como vimos no capítulo que aborda esse assunto, é ser persistente demais. É esforçar-se além das próprias forças, a fim de atingir uma meta, estressando-se até a exaustão física e mental. Todo esse desgaste é inútil, quando temos em mente que um dia iremos morrer, quer tenhamos realizado grandes feitos ou não.

Não quero com isso incentivar o comodismo. Lutar pelos sonhos de vida, ter persistência e determinação é muito importante na busca de uma vida mais feliz. Mas não exageremos, a ponto de nos autodesvalorizarmos se houver um fracasso. Devemos considerar outro caminho, outra possibilidade.

Aprendi a valorizar o silêncio e o recolhimento, que por si só podem ser terapêuticos. Entretanto não confundamos recolhimento com isolamento. Este alimenta a depressão, na medida em que retira o indivíduo de seu convívio familiar e social.

Também aprendi a me aceitar como sou, com muitos defeitos e muitas limitações. Passei a ter uma visão mais realista de minhas capacidades intelectuais e a necessidade em ponderar melhor minhas opiniões sobre assuntos de interesse coletivo, entendendo que devo respeitar uma opinião contrária a minha, sem me irritar demasiadamente.

Tive de aceitar a doença que se bateu sobre mim e considerar a hipótese de que terei de fazer as pazes com ela, aprendendo a lidar melhor com a possibilidade de que, provavelmente, terei recaídas ao me deparar com decepções e perdas no decorrer da vida.

Tive de olhar a morte mais de perto, percebendo que não podia fugir dela; que, apesar de solitária e indigesta para nós, é democrática, pois atinge ricos e pobres, de todas as filiações religiosas, em qualquer lugar do mundo, de qualquer raça ou preferência sexual. Com ela não tem barganha, negociação ou suborno, não importando se o indivíduo é faxineiro ou presidente da República. Sempre vem carregada de pesar e tristeza para os que ficam, mas pode representar uma libertação para quem parte. Deveríamos falar mais sobre ela, desmistificando-a. Quem sabe assim poderíamos aceitá-la; afinal é inevitável que aconteça um dia.

Pensemos nesse desfecho de nossa vida como um recomeço em um lugar, onde o tempo não importa e tudo que existe é envolto pelo amor de Deus. Após muitas leituras e reflexões, pude concluir que a morte é necessária neste mundo, pois esta existência jamais será plena, porque o ser humano tem sede de Deus. Essa sede só será saciada quando estivermos face a face com Ele.

Referências bibliográficas

AGOSTINHO, S. *Confissões*. 10.ed. Tradução de J. Oliveira Santos; A. Ambrósio de Pina. Porto: Livraria Apostolado da Imprensa, 1981. p. 446, 448.

_____. *Sobre a vida feliz*. Tradução de Enio Paulo Giachini. Petrópolis: Vozes, 2014. (Coleção Textos filosóficos).

ALVES, R. *O que é religião?* 11.ed. São Paulo: Edições Loyola, 2010., p. 131.

BAKER, M. W. *Como Deus cura a dor*: como a fé e a psicologia nos dão força para superar o sofrimento e aumentam nossa resistência emocional. Tradução de Cynthia Azevedo. Rio de Janeiro: Sextante, 2008, p. 208.

BALESTIERI, F. M. P.; DUARTE, Y. de A.; CARONE, L. M. As terapias de toque podem aliviar o estresse e seus efeitos sobre o sistema imune? *RELIGARE* – Revista de ciências das religiões, n. 2, p. 11-19, set. 2007.

BERTANI, I. F. Saúde, sofrimento e sociedade. *Serviço social & realidade*. Franca, v. 15, n. 1, p. 131-158, 2006.

BÍBLIA SAGRADA: tradução dos originais mediante a versão dos monges de Maredsous (Bélgica) pelo Centro Bíblico Católico. 75.ed. São Paulo: Ave-Maria, 1991, p. 1632.

BROWN, D. O estresse, o trauma e o corpo. In: GOLEMAN, D. (Org.). *Emoções que curam:* conversas com o Dalai Lama sobre mente alerta, emoções e saúde. Tradução de Cláudia Gerpe Duarte. Rio de Janeiro: Rocco, 1999, p. 104-120.

CAMPBEL, J. Com Bill Moyers; org. por Betty Sue Flowers. *O poder do mito.* 28.ed. Tradução de Carlos Felipe Moisés. São Paulo: Palas Athena, 1990, p. 250.

CANOVA, F. *Cansaço e depressão.* Tradução de Antônio Maia da Rocha. São Paulo: Edições São Paulo, 1993.

CARNEIRO, M. C. Considerações sobre a ideia de tempo em Sto. Agostinho, Hume e Kant. Interface-Comunic., Saúde, Educ. Bauru, v. 8, n. 15, p. 221-232, mar/ago. 2004.

CATECISMO DA IGREJA CATÓLICA. Edição típica vaticana. São Paulo: Edições Loyola, 2000, p. 938.

CHAVE-JONES, M. *Como enfrentar a depressão*: formas de ajuda e convivência. O milagre pode acontecer. Tradução de Attílio Brunetta. 3.ed. Petrópolis: Vozes, 1996, p. 72. (Coleção Vida Nova).

ELIADE, M. *O sagrado e o profano:* a essência das religiões. Tradução de Rogério Fernandes. 3.ed. São Paulo: WMF Martins Fontes, 2010, p. 191. (Biblioteca do pensamento moderno).

ELIAS, N. *A solidão dos moribundos:* seguido de "envelhecer e morrer". Tradução de Plínio Dentzien. Rio de Janeiro: Zahar, 2001, p. 110.

FADIMAN, J.; FRAGER, R. *Teorias da personalidade.* Coordenação de tradução Odette de Godoy Pinheiro; tradução de Camila Pedral Sampaio e Sybil Safdié. São Paulo: Habra, 1986, p. 394.

FIAMONCINI, R. L.; FIAMONCINI, R. E. O stress e a fadiga muscular: fatores que afetam a qualidade de vida dos indivíduos. *Efdeportes.com revista digital*, Buenos Aires, ano 9, n. 66, nov. 2003. Disponível em:<http://www.efdportes.com/ efd66/ fadiga. htm>. Acesso em 28 de fev. de 2012.

GOLEMAN, D. Emoções perturbadoras e gratificantes: impactos sobre a saúde. In: GOLEMAN, D. (Org.). *Emoções que curam:* conversas com o Dalai Lama sobre mente alerta, emoções e saúde. Tradução de Cláudia Gerpe Duarte. Rio de Janeiro: Rocco, 1999. p. 43-58. (Arco do Tempo).

GOMES, J. C. V. *Logoterapia:* a psicoterapia existencial humanista de Viktor Emil Frankl. São Paulo: Edições Loyola, 1992, p. 80.

GRÜN, A. *Fontes da força interior: evitar o esgotamento, aproveitar as energias positivas.* Tradução de Lorena Kim Richter. 1.ed. Petrópolis: Vozes, 2007, p. 167.

_____. *Convivendo com o mal:* a luta contra os demônios no monaquismo antigo. 8.ed. Tradução de Carlos Almeida Pereira. Petrópolis: Vozes, 2011a, p. 88.

_____. *O que fiz para merecer isto? A incompreensível justiça de Deus.* Tradução de Edgar Orth. 5.ed. Petrópolis: Vozes, 2011b, p. 158.

_____. *Sonhos de vida:* guia para a felicidade. Tradução de Vilmar Schneider. Petrópolis: Vozes, 2011c, p. 112.

_____. *O poder do silêncio.* Tradução de Luiz Costa de Lucca Silva. Petrópolis: Vozes, 2012a, p. 115.

GRÜN, A. *Permaneço ao seu lado:* acompanhar quem morre, viver mais intensamente. Tradução de Lorena Ritcher. Petrópolis: Vozes, 2012b, p. 208.

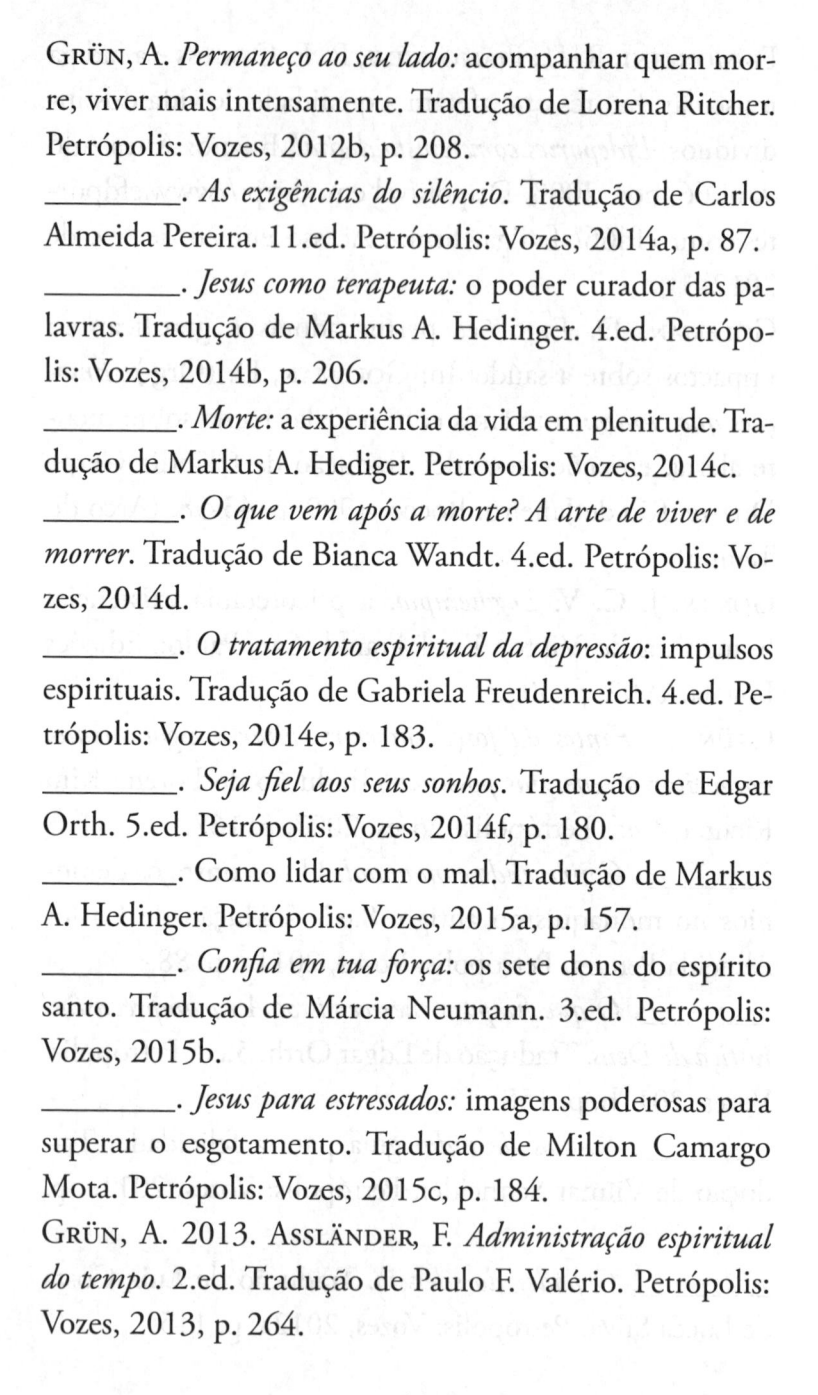

_____. *As exigências do silêncio.* Tradução de Carlos Almeida Pereira. 11.ed. Petrópolis: Vozes, 2014a, p. 87.

_____. *Jesus como terapeuta:* o poder curador das palavras. Tradução de Markus A. Hedinger. 4.ed. Petrópolis: Vozes, 2014b, p. 206.

_____. *Morte:* a experiência da vida em plenitude. Tradução de Markus A. Hediger. Petrópolis: Vozes, 2014c.

_____. *O que vem após a morte? A arte de viver e de morrer.* Tradução de Bianca Wandt. 4.ed. Petrópolis: Vozes, 2014d.

_____. *O tratamento espiritual da depressão*: impulsos espirituais. Tradução de Gabriela Freudenreich. 4.ed. Petrópolis: Vozes, 2014e, p. 183.

_____. *Seja fiel aos seus sonhos.* Tradução de Edgar Orth. 5.ed. Petrópolis: Vozes, 2014f, p. 180.

_____. Como lidar com o mal. Tradução de Markus A. Hedinger. Petrópolis: Vozes, 2015a, p. 157.

_____. *Confia em tua força:* os sete dons do espírito santo. Tradução de Márcia Neumann. 3.ed. Petrópolis: Vozes, 2015b.

_____. *Jesus para estressados:* imagens poderosas para superar o esgotamento. Tradução de Milton Camargo Mota. Petrópolis: Vozes, 2015c, p. 184.

GRÜN, A. 2013. ASSLÄNDER, F. *Administração espiritual do tempo.* 2.ed. Tradução de Paulo F. Valério. Petrópolis: Vozes, 2013, p. 264.

GRÜN, A. WU, H. *Interpretação espiritual dos sonhos*. Tradução de Milton Camargo Mota. Petrópolis: Vozes, 2016, p. 173.

KÜBLER-ROSS, E. *A morte:* um amanhecer. Tradução de maria de Lourdes Lanzelotti. 1.ed. São Paulo: Pensamento, 2006, p. 112.

LORENZINI, R.; SASSAROLI, S. *Quando o medo vira doença: como reconhecer e curar fobias*. Tradução de Jairo Veloso Vargas. 2.ed. São Paulo: Paulinas, 1999, p. 112. (Coleção Psicologia e Você).

MANZOTTI, R. *Feridas da alma:* a luz e a sabedoria de Deus para a superação de nossas dores e limites. Rio de Janeiro: Petra, 2015, p. 234.

_____. *Batalha espiritual:* entre anjos e demônios. 1.ed. Rio de Janeiro: Petra, 2017, p. 176.

MARTINS, A. A. É importante a espiritualidade no mundo da saúde? São Paulo: Paulus. Centro Universitário São Camilo, 2009, p. 80. (Coleção Questões Fundamentais da Saúde 19).

MONTEIRO, D. M. R. Espiritualidade e saúde na sociedade do espetáculo. *O Mundo da Saúde*, São Paulo, v. 31, n. 2, p. 202-213, abr./jun. 2007.

OLIVEIRA, J.; ACAMPORA, B. *A importância dos sonhos:* interpretação e práticas para saúde plena. Rio de Janeiro: *Walk* Editora, 2013, p. 120.

OTTO, R. *O sagrado*. Lisboa: ed.70, 2005, p. 232. (Coleção Perspectivas do Homem).

PEREIRA, V. N. A. Saúde, estresse e sacralidade do tempo. In: GNERRE, Maria Lucia Abaurre (org.). *História das religiões:* temas e reflexões. João Pessoa: Ed. UFPB, 2012. p. 257-274.

PEREIRA, V. N. A. *Medicina e espiritualidade:* a importância da fé na cura de doenças. Aparecida: Editora Santuário, 2015, p. 192.

_____. *Saúde e Oração:* a busca da cura e do autoconhecimento pela fé. 1.ed. Aparecida: Editora Santuário, 2017, p. 192.

PINTO, F. G. Sobre a percepção do tempo em Física IV 10-14 e de Anima de Aristóteles. Ítaca: *Revista de pós-graduação em Filosofia.* IFCS – UFRJ, n. 11, p. 109-118, pdf, 2009.

ROCHA, R. *Minidicionário da Língua Portuguesa.* 13.ed. São Paulo: Scipione, 2005, p. 304.

SALZBERG, E.; KABAT-ZINN, J. A mente alerta como medicamento. In: GOLEMAN, D. (org.). *Emoções que curam:* conversas com o Dalai Lama sobre mente alerta, emoções e saúde. Tradução de Cláudia Gerpe Duarte. Rio de Janeiro: Rocco, 1999. p. 123-164. (Arco do Tempo).

SARAH, R.; DIAT, N. *A força do silêncio:* contra a ditadura do ruído. Tradução de Omayr José de Moraes Júnior. 1.ed. São Paulo: Edições *Fons Sapientiae*, 2017, p. 296.

SAVIOLI, Dr. R. M. *Milagres que a medicina não contou.* São Paulo: Ágape, 2003, p. 125.

_____. *Depressão:* onde está Deus? 10.ed. São Paulo: Gaia, 2004, p. 176.

SELYE, H. *The Stress of Life*. Revised edition. New York: McGraw-Hill, 1984, p. 515.

SÊNECA. *A vida feliz*. Tradução de Luiz Feracine. São Paulo: Escala, 2006, v. 43, p. 126. (Coleção grandes obras do pensamento universal).

SILVA, A. B. B. *Mentes depressivas:* as três dimensões da doença do século. São Paulo: *Principium,* 2016, p. 288.

SOLOMON, A. *O demônio do meio-dia:* uma anatomia da depressão. Tradução de Myriam Campello. Rio de Janeiro: Objetiva, 2010, p. 816.

TOLLE, E. *El poder del ahora:* uma guía para la iluminación espiritual. Traducción de Miguel Iribarren. Barcelona: Gaia Ediciones, 2006, p. 169.

VAILLANT, G. E. *Fé:* evidências científicas. Tradução de Isabel Alves. Barueri: Manole, 2010, p. 250.

VIORST, J. *Perdas necessárias.* Tradução de Aulyde Soares Rodrigues. 4.ed. São Paulo: Melhoramentos, 2005, p. 336. (Comportamentos).

WIKING, M. *Lykke:* em busca de la gente más feliz del mundo. Barcelona: Libros Cúpula, 2018, p. 288.

A marca FSC® é a garantia de que a madeira utilizada na fabricação do papel deste livro provém de florestas que foram gerenciadas de maneira ambientalmente correta, socialmente justa e economicamente viável.

Este livro foi composto com as famílias tipográficas Garamond Pro, Segoe UI, Bell MT e Humilde e impresso em papel Offset 63g/m² pela **Gráfica Santuário**.